# 屋根裏の美少年

西尾維新

袋《ふくろ》井《い》満《みちる》
双《そう》頭《とう》院《いん》学《まなぶ》
足利《あしかが》飆太《ひょうた》

Illustration キナコ　Design Veia

# 屋根裏の美少年

美少年探偵団団則

1、美しくあること
2、少年であること
3、探偵であること

# 0　まえがき

「食事はパン一切れでいい。この絵の前で過ごせる二週間があるのなら、この先の十年間など、喜んでくれてやる」

日本においてはもっとも知られている画家のひとりであるフィンセント・ファン・ゴッホの言葉だと聞いている。わたし辺りでは、十年頭を捻《ひね》ったところで思いつきそうにないこんな大名言の中でいう『この絵』とは、レンブラントの作品なのだそうだ。わたしのような不勉強の輩でも、その絵を前にすれば、同じ気持ちになれるのだろうか。

ところで、不勉強に乗じて告白すれば、わたしがこの言葉を聞いて思い出したのは、小学生のときに読み聞かせられた不朽の名作であるところの、『フランダースの犬』である。少年ネロと愛犬パトラッシュの悲劇を、まさか知らない者はいないだろうが（ただし、これこそ『日本においては』であって、意外と現地では、知る人ぞ知るお話らしい）、画家を志《こころざ》す実直な少年が、一目見ることを念願していたルーベンスの絵画の前で、愛犬と共に天に召されるラストシーンには、ご多分に漏《も》れず、小学生だったわたしは感涙《かんるい》したものだった。

滂沱《ぼうだ》の涙を流した。

ただし、おぞましくも素直な小学生だったわたしが、暗くてひねくれた十四歳の中学生になった視点から振り返ってみれば、かの悲劇にはおいそれとは見過ごせない疑問点がある。清貧であったがゆえに、見たい絵をずっと見られなかっただけでなく、とうとう住む家までも失ってしまった少年ネロは、それでも、拾ったお金を正直に届け出、己の描いた絵が評価されたことも知らないまま不遇な最期を迎えたという、報《むく》われないストーリーそのものにも当然ながら道徳的な疑義を呈《てい》したいところではあるけれど、それよりもなによりも、食べるものも住むところもないはずの少年が、愛犬と最期を迎えるにあたって、どうやって念願の絵の鑑賞料を支払ったのだろうか。

拾ったお金を懐《ふところ》に入れない美しさを描いた直後に、まさか鑑賞料を払わずに勝手に教会に忍び込み、こっそりと絵を見るような矛盾《むじゅん》した真似《まね》を、少年と愛犬がするはずがないと思う一方、およそそうとでも解釈するしかない物語の進行である。

あれだけ感動した悲劇に対して、そんな無粋《ぶすい》な突っ込みをいれてしまう自分のことを、酷《ひど》く罪深い人間のように思い、わたしは長らく罪悪感にとらわれていたのだが、解答が得られないまでも、せめてこのもやもやした気分を共有しようと、それこそ教会で懺悔《ざんげ》でもするように告白してみた。

「…………」

しこうして、美少年探偵団の美術班、指輪創作《ゆびわそうさく》くんは、あくまで無言だった。表現上、無言であることを表すために「…………」というやむをえない一行をインサートしてみたけれど、実際には、彼は一学年先輩であるはずのわたしからの呼びかけに、沈黙すらもくれなかった。

聞こえていない振りをして、一貫して脇目も振らず、カンバスに向かっていた――芸術を解さない野暮《やぼ》な人間に与えるものは、パン一切れさえないという風に、焦《こ》げたパンをカンバスにこすりつけていた。

何やってんだあれ？　カンバスにパンを食べさせてるのか？

すると、後輩にすげなく無視される哀《あわ》れなわたしを見かねたのか、それとも若き芸術家の意を汲《く》んだのか、そもそも今までどこにいたのかもわからない美少年探偵団のリーダーがひょっこり現れて、

「はっはっは！」

と、笑った。

哀れなわたしと言うより、愚かなわたしを笑い飛ばすように。

「ソーサクの代わりにこの僕が華麗に答えよう。その童話なら美学の徒たる僕ももちろん聞いたことがあるが、そんな疑問はまったく抱かなかったな。探偵団のリーダーが疑問を

抱かなかったということは、そこにミステリーはないということだ。そんなもの、少年と愛犬の最期の願いを、教会の人間が叶《かな》えてあげただけに決まっているだろう——そっと扉の鍵《かぎ》を外してね」

なるほど。

そんな綺麗《きれい》な解釈をされてしまえば、反論の余地も疑問の余地もなかった——否《いな》、綺麗な解釈というより、美しい解釈と言うべきか。

もっとも、言ったのが議論するだけ無駄な団長でなければ、わたしはしぶとく反論しようとしたかもしれない。なぜなら、もしも親切心でそうしたというのであれば、絵を見せるために扉の鍵を外すよりも、少年に与えるべき恵みは、間違いなく一切れのパンだったのではないかと、思わざるを得ないからだ。

だけど、きっと『ひまわり』の作者に言わせれば、画家を志していた少年にとっては、一切れのパンよりも、一枚の絵画を見せてくれるほうが、よっぽど慈愛に満ちた施《ほどこ》しだったのだろう。

その絵の前で死ぬことは、他の場所で生きることよりも、ずっと値打ちのあることだったのかもしれない。

ゴッホが言うなら、説得力はある。

なぜなら、望む絵の前で二週間を過ごしたかどうかは定かではないけれど、少なくともゴッホは実際に、その後、拳銃《けんじゅう》自殺しているのだから——この先の十年間どころか、生命そのものを投げ出しているのだから。

## 1　探偵団召集令

その日の放課後、課程を終えて、わたしがいつも通り美術室に向かおうと準備をしていたときに、スラックスのポケットで、携帯電話が着信音を奏《かな》でた。

ただでさえ、女子なのに男子の制服を着用して通学することでクラスメイトから昔なら考えられないほどの注目を浴びているわたしを、更に目立たそうとするその着信音に肝を冷やしながら出てみると、

「瞳島《どうじま》さん。美少年探偵団の召集令です——今日は何をおいても、美術室にお出《い》でください」

と、一方的に告げられた。

電話越しでもまったく色あせない、背筋が伸びるような副団長の美声だった——返事をする前に、既にその電話は切れていた。

ただしそれは、表の世界では人望ある生徒会長として通っている副団長、咲口長広《さきぐちながひろ》先輩のエチケットがなっていないということではなく、携帯電話に不慣れなわたしが、操作を

誤ってうっかり通話終了ボタンを押してしまったというだけのことである。

またしても、トランシーバーと同じように扱ってしまった――リダイアルする方法もわからないであります、オーバー。

なんともかとも。

『よ過ぎる視力』を保護するために、今時の中学生でありながら、長らく携帯電話を持たずにきたわたしだったけれど、先日、色々あって美少年探偵団入りを果たしてしまった以上、そういうわけにはいかなくなった。

なにせ、曲がりなりにも『探偵団』なのだ。

グループであり、チームである。

いざというときに連絡が取れないでは話にならない――いざというときのみならず、常時連絡が取れるように備えておくのが、メンバーの心得というものだろう。

まあ、美少年探偵団の心得は、実のところ他に独自の形であるのだが、ともあれ、わたしがデジタルな連絡機器を持っていないことを知った咲口先輩は、

「ふふっ。大丈夫です。この私にお任せください」

と、請け負ってくれた。

美声のナガヒロの異名を取るだけあって、それだけで説得されてしまいそうな口調（口約束）に、詳しく追及することはできなかったのだけれど、後日、支給された物品を見

て、わたしは盲点をつかれた思いになった。

盲点――『よ過ぎる視力』の盲点と言うか。

わたしが携帯電話、なかんずくスマートフォンの使用を避ける理由は、液晶画面から発せられる光が、敏感なわたしの眼球には刺激が強過ぎるからなのだけれど、裏を返せば、それは液晶画面のない携帯電話ならば、使用にあたってなんら問題はないということである。

支給されたのは子供用携帯電話だった。

子供ケータイともあんしんケータイとも言われる、片手にすっぽり収まる、メールのできない、発信先の限られた、そして画面がないと言っていいモバイルフォンである――これなら確かに、わたしの視力に影響を及ぼさない。

どころか、目を瞑《つぶ》っていても使える、ガラケーでさえない、極めてシンプルな携帯電話である――通話以外ほとんど何もできないと言っていいけれど、しかしながら、これはこれで、実に『探偵団』らしいアイテムとも言えた。

ちなみに支給品なので、通話料は組織持ちである――限られたいつつの発信先には、すべてメンバーが割り当てられているし、探偵団には貯蓄を無尽蔵に持つ富豪がいるので、そこはまあ、甘えておくことにしたわたしである。

こんなおもちゃみたいな携帯電話でも、長らくディスコミュニケーションの世界の住人であったわたしにしてみれば、結構持たせてもらったことが嬉《うれ》しかったのだけれど、しかし、こんな風に、こちらの都合をガン無視で呼び出しを食らうとなれば、なんだか首輪をつけられたみたいな気持ちにもなる。

なんだろうな。

子供の頃、通信がもっと発達して、コンピューターが当たり前みたいに普及すれば、人はひとりで独立して生活できるようになるんじゃないかと思っていたものだけれど、実際に未来社会に至ってみれば、人と人とのコミュニケーションが、より密接になっただけだった。

過密と言っていい。

どこまでいっても人間は集団生活からは逃れられないのかもしれない、と悟ったようなことを思いつつ、わたしはそそくさと、帰宅の準備を進めた。

え？

そうだよ、帰宅の準備だよ。

チャイムが鳴った時点では意気揚々と美術室に向かうつもりだったけれど、召集がかかったので、行かないことにした——むしろ予期された大災害から避難するように、一刻も早く、そそくさと安全な自宅に戻る決意を固めたのである。

だが、そんなわたしの行動原理（『呼ばれてなければ勝手に行くけれど、誘われると途端に行きたくなくなる』を、あらかじめ鋭く看破したかのごとく、校門には、門番が待ち伏せしていた。

門番と言うか、番長だった。

美少年探偵団のメンバーのひとり、袋井満《ふくろいみちる》くんである——誰もが支持する生徒会長の咲口先輩が指輪学園の表の代表であるのなら、誰もが恐れる不良生徒の袋井くんは、指輪学園の裏の代表である。

そんな裏の代表が両手を広げるようにして、わたしごときの行く手を阻《はば》もうと言うのだから、たまげたものだ。

「何帰ろうとしてんだよ、瞳島。団長からの呼び出しを無視するつもりか、美観のマユミの癖《くせ》に」

ったく、こんなこったろうと思ったぜ——と、睨《にら》むように、絡むように言ってくる番長、超怖い。

美観のマユミなんて言うニックネームを認めた覚えは断じてないのだけれど、そんな反論が許される空気ではなかった。

ちなみに彼は美食のミチルである。

不良の癖に料理好きなのだ。

料理好きの癖に不良と言ったほうが、正鵠《せいこく》を射ているかもしれないけれど。

それにしても、『団長からの呼び出し』?

わたしのところにあったのは、副団長からの召集だったけれど——元を辿《たど》れば、リーダーからの命令だったのか?

だったら、より行きたくない。

「ほら、さっさと美術室に行くぞ。ごちゃごちゃ言ってると、芸能界で生きていけなくするぞ」

「いや、元々そんな華やかな世界に、わたしの居場所はないんだけれど……」

社会に反旗《はんき》を翻《ひるがえ》す、反抗期をそのまま体現したような男子中学生なのに、リーダーにだけは従順な不良くんは、手を伸ばして、わたしの襟元《えりもと》をつかもうとする。

そうは行くか!

わたしは咄嗟《とっさ》に眼鏡《めがね》を外し、視力をキレキレの状態にすることで、その手をかいくぐった——不良くんの脇《わき》を抜け、校内からの脱出を目論《もくろ》む。

「あ! てめえ! 暗い割に、意外とアクティヴな動きを……!」

暗くて結構、わたしは自由だ!

すごすご校舎に戻って、鏡で自分の整った顔でも見てな!

しかしこの脱走劇は、一秒で幕を下ろすことになった——不良くんを出し抜いたわたしは、横合いから勢いよくタックルされたのだ。

「ぐはっ！」

クルマにひかれたのかと思ったけれど（美形から逃げてクルマにひかれるとか、どんな最期だ）、わたしのボディを押し倒したのは、クルマでもラガーマンでもなく、陸上部の一年生エースだった。

またの名を美脚のヒョータ。

彼もまた、美少年探偵団のメンバーである――どうやら木陰《こかげ》に隠れていたらしい。

わたしみたいな下っ端を捕獲するために、メンバーが二名動員されているあたり、今日の呼び出しの本気度がうかがいしれるというものだった。

「あははー。駄目だよ、瞳島ちゃん。いくら目がいいって言っても、光より速いボクからは逃げられないって！」

わたしにのしかかったままで、明るくそう言ってのける生足くん――不良生徒以上に制服を改造して、スラックスをショートパンツ風に切り落としている彼のことを、わたしは心の中でそう呼んでいる――光より速いはさすがに大袈裟《おおげさ》にしても、確かに、『目がいい』だけでは、『足が速い』からは逃れられそうもない。

万事休す。生足くんに生足で抑え込まれては、腹をくくるしかなさそうだ。

これ以上抵抗すると、生足くんに、どさくさに紛《まぎ》れてどこを触られるかわからない――男子の格好をしていても、女子としての貞操観念を喪失したわけではないのだ。

「まったく、手間かけさせんなよ、瞳島。ほら、急ぐぞ」

不良くんに引き起こされる。

食材として扱われている気分だ。

美脚のヒョータに生足で挟まれ、美食のミチルに食材として扱われるのは、光栄というべきかもしれないけれど、やっぱりどちらも普通に屈辱的である。

「いやあ……、急ぎの用なんだったら、わたし抜きで始めてもらってて、ぜんぜんいいんだけれどなあ……」

「当事者意識に欠けたこと言ってんじゃねえよ。お前は『最近はみんな携帯電話をいじってばかりで、電車の中で本を読んでいる乗客なんてひとりもいなくなった』とか言ってる奴《やつ》か。少なくともお前が読んでさえいりゃあ、ひとりはいるんだよ」

いつもの、やや強過ぎる風刺を利かせながら、不良くんはわたしを校舎のほうへと連行する——白状すれば、生足くんの生足による拘束が解かれた今、ここからでも隙《すき》をついて逃げることも可能だったのだが、風刺に続けられた、「お前は仲間としての自覚に欠けてんだよ」という言葉に、そんな気はなくしてしまった。

食材扱いならぬ、仲間扱い。

仲間。

それはわたしが、通信機器以上に、長年飢えていたものだった——美食のミチルは、さすが、求めるものを振る舞ってくれる。

## 2 天井絵

もっとも、美少年探偵団は、仲間ではあっても、仲良しとは言えない。生徒会長の咲口先輩と番長の袋井くんのように、表向きには激しく対立している例さえある——彼らが手を取り合い、席を同じくするのは、美術室の中だけである。

美術室。

指輪学園の課程から芸術系の授業がなくなってしまって以来、使われていないこの特別教室は、現在、美少年探偵団というならず者達に乗っ取られている——改造に改造を重ねられ、今では、面影《おもかげ》も残さない。

板張りの床には毛足の長い絨毯《じゅうたん》が敷き詰められ、壁一面に絵画や彫刻が飾られて、豪奢《ごうしゃ》なソファやテーブルのみならず、天蓋《てんがい》つきのベッドまで運び込まれている——扉の横のスイッチを押せば、点灯するのは蛍光灯ではなく、きらきらとぶら下がったシャンデリアである。

美術室というより美術館のような有様だが、その実態は、美少年探偵団の事務所なのだ——彼らが自分達が過ごしやすいように、この教室を好き勝手ゴージャスにリフォームしたのである。

常識人としての感覚を頑なに失っていないわたしにしてみれば、こんなそわそわする落ち着かない環境もないのだけれど、どころか、古参のメンバーは、これでもまだ、物足りないらしかった。

手短に言うと、だからこそ本日、緊急召集がかかったようである——美術室に到着したわたしと不良くんと生足くんを待っていたのは、脚立《きゃたつ》を支える団長と副団長、そしてその上で海老《えび》反《ぞ》りのような姿勢で筆を振るう、天才児くんだった。

団長——美学のマナブこと、双頭院学《そうとういんまなぶ》（小五）。

副団長——美声のナガヒロこと、咲口長広（中三）。

天才児くん——美術のソーサクこと、指輪創作（中一）。

一瞬、出初《でぞ》め式の練習でもしているのかと思ったけれど、どうやら天才児くんは、天井を大きな一枚のカンバスに見立てて、絵を描いているらしかった——いわゆる天井絵という奴である。

そうか。

てっきり改造され尽くしたとばかり思っていたこの美術室において、唯一手がつけられていなかった天井エリアも、いよいよ彼らの毒牙《どくが》にかかることになったわけか。

切ないなあ。

「おお！　遅かったではないか、ミチル、ヒョータ、そして瞳島眉美《まゆみ》くん！　しかしそれでもみんなはベストを尽くしてくれたのだと信じているよ、よく来てくれた！」

脚立を支えたままで、こちらを向く団長。

そんな無邪気に歓待されると、逃げ出すためにベストを尽くそうとした身としては、いささか心が痛む。

「ああ、先ほどは失礼いたしました、瞳島さん。なぜか電話が切れてしまって、用件がちゃんと伝わったかどうか、不安だったのです。不手際申し訳ありませんでした」

そんな風に申し訳なさそうに言う咲口先輩相手にも心が痛むけれど、しかし彼こそがそのたぐいまれなる発想力によって、わたしに首輪をつけた張本人であることを思うと、そんな心痛も和《やわ》らごうというものだった——まったく、人を携帯電話の契約プラン以上にがちがちに縛りやがって。

ちなみに、二人に支えられ、天井に筆を走らせている天才児くんは、こちらを見ようともしない——まあ、そんな無理のある体勢でこちらを振り向いたら脚立から落下してしまうだろうけれど、しかし、そもそもわたし達の到着に気付いてもいないんじゃないかというほど、彼は集中しているようだった。

まだ描き始めたばかりらしく、彼が果たして美術室の天井に何を描いているのかは拝察できないけれども、その制作姿勢だけでも、圧倒されるものがある。

「なるほど。前から計画してた、天井のリフォームに遂に着手したってわけだ——俺らにできることは？」

不良くんが後ろ手に扉を閉めながら、てきぱきとそんなことを言う。

「とりあえず、脚立を支える要員としてあとひとり。二人では、まだ不安定です。それから、ソーサクくんに絵具《えぐ》を手渡すアシスタントがひとりと、万が一ソーサクくんが落下したときに受け止める係がひとり。そういった役割分担で」

「お前に訊《き》いたんじゃねえよ、ナガヒロ。団長に訊いたんだ」

そうライバルに毒づきつつも、サポートに入る不良くん。

まあ、腕力的には、妥当なポジショニングだろう——男装したところで、わたしの細腕が、いきなり一回りもふた回りも太くなるわけじゃない。

で、腕力ならぬ脚力を自慢とする生足くんは、その瞬発力で、危機管理にあたるのが当然と言えた——わたしをタックルでとらえたように、天才児くんの落下を受け止めてくれること請け合いだ。

となると、わたしの役割は消去法で、アシスタントと決まった。テーブルの上に並べられている各種の筆や絵の具を天才児くんに手渡したり、汗を拭《ふ》いたりするのが、わたしに割り当てられた仕事となる。

一年生の面倒を甲斐甲斐《かいがい》しく見るというのは、一応は二年生の身であるわたしとしては複雑なものがあるけれど、まあ、相手が指輪くんならば、納得もできる——なにせ、名字《みょうじ》からわかるよう、彼はこの指輪学園の母体である、指輪財団の後継者なのだから（『貯蓄が無尽蔵』なのは彼で、つまり事実上、わたしの首輪を管理しているのは彼である）。

　そういう意味では、生徒会長や番長よりも、よっぽど重要人物である指輪くんに尽くすことは、わたしの将来のためにも、適切であるとさえ言える——まあ、この美術室における彼は、指輪財団の後継者ではなくあくまでも美少年探偵団のメンバーであり、ひとりの芸術家なのだけれど。

　この美術室のリノベーションも、ほとんど彼の手によるものだと聞いている——壁にかかっている名画も、飾られている彫刻も、大半は彼自身の作品だというのだから、凡百としては恐れ入る。

「えっと……、団長。じゃあ、今日の緊急召集は、このためのものだったってことでいいんでしょうか？」

　念のため、おずおずとわたしがそう確認すると、

「その通りだとも！　我が美少年探偵団の本日の活動内容は、満を持して、この美術室を完成させることだ！　そのときが来た！」

　と、双頭院くんは元気よく答えてくれた。

　裏のなさそうなその返答に、正直なところ、わたしはほっとした——まあ、一大事業で

あることに違いはないし、学校施設を無断で改造する行為に関与するのにはちょっとした覚悟も必要ではあるけれど、少なくとも、ヘリコプターで長距離移動をしたり、よその学校に深夜に忍び込むというようなアクティヴな過激さとは無縁の、いうならシットコムな活動内容である。

そそくさ逃げようとしたのは、いくらなんでも性急で、ちょっと過剰反応だったかもしれないと、安堵《あんど》を通り越して反省すらするわたしだったけれど——だが、この判断こそ、性急だった。

しかしながら、このときわたしは、思いもしなかったのだ。

こんな、団長の思いつきみたいな気まぐれから始まったリフォームが、まさか指輪学園で七年前に勃発《ぼっぱつ》した、とある誘拐《ゆうかい》事件に結びつくだなんてことは、露《つゆ》ほども。

誘拐事件。

それは、これまでわたしが聞いたこともないような種類の、なんとも奇妙な不可能犯罪だった。

## 3　美少年探偵団のこと

ここで美少年探偵団について、簡単に説明しておこう——あえて他人事《ひとごと》のように語れば、彼らは指輪学園中等部において、秘密裏に活動する非営利団体である。

学園で起こるトラブルの、ほぼすべてに関わっていると、まことしやかに噂《うわさ》されるそんなグループが、賢明なるわたしはまさか実在しているとは思っていなかったのだけれど、美術室という、生徒はおろか職員さえ忘却しているであろう特別教室で、彼らは日々『美しい謎《なぞ》』の解明を続けていたということである――そのメンバーは、新参者のわたしを除けば、五人。

生徒会長の咲口長広、番長の袋井満、陸上部エースの足利飆太《あしかがひょうた》、指輪学園後継者の指輪創作――そして、探偵団のリーダー、双頭院学。

ちなみにリーダーは初等部の五年生なので、小五郎《こごろう》とも呼ばれていたりする――なぜ小学五年生が、名だたる中学生達を統《す》べているのかこそが、もっとも解明すべき謎なんじゃないかとわたしは思うが、今のところ、その謎は放置されている。

縁あって彼らの『依頼人』となったわたしは、その後、どさくさに紛れた成り行きで彼らのメンバーとなったわけだが、仲間として見ても、彼らの行動はなにかと常軌を逸《いっ》していた。

「はっはっは！　そんな僕達の仲間になろうとした時点で、瞳島眉美くん、きみも十分常軌を逸しているよ、心配しないように！」

と、リーダーは実に心配な保証をしてくれたけれども――そんな彼らの活動内容としては、教室の天井に無許可で絵を描くくらい、なんとも控えめでつつましいとも言えたし、今更とも言えた。

逆に、どうして今になって、天井絵に着手するつもりになったのかは不明だったけれど——気まぐれにしろ思いつきにしろ、なんらかのきっかけはあったんじゃないかと思うけれど、まあ、あえて深く追及するようなことでもあるまい。

その後、一時間ほど、黙々と作業が続けられた——アシスタントとしてのわたしの仕事ぶりは、残念ながらあまり要領がいいとは言えなかったが、これをすべてわたしの責任としておっかぶるつもりは更々ない。

だって天才児くん、喋《しゃべ》らないんだもん。

無口で無表情な彼は、自分がどんな絵具を欲しているのかいちいち教えてくれないので、こちらが察して動くしかないのだ。

いつもならば、唯一彼の意を汲むことができるリーダーが、通訳を務めてくれるのだけれど、あいにく今の彼は、脚立を支える仕事に手一杯だった。

考えてみれば、脚立を支えるという地味な役割を、団長と副団長が率先してつとめているあたり、美少年探偵団は優良かつ健全な組織であると言えそうだ。何気《なにげ》に、緊急時に備える生足くんが一番楽をしていると言えるけれど、まあ、可能な限り楽をしてもらわなければならない役割である。

幸い、三人がかりで支えられている脚立から、天才児くんが落下しそうな気配はなかったけれど——しかし、そのとき。

## 4　天井裏の冒険

がこん、と。

しかし、そのとき、天井の板が抜けた。

天才児くんの筆圧に押される形で、奥へと外れてしまったのだ——無理な体勢でのことだし、そんなに腕力を込めて筆を振るっていたわけでもないだろうに、あっさり、たやすく。

わたし達のサポートもあり、これまで一瞬たりとも休まずに天井絵を描き進めていた天才児くんの筆が、さすがに止まる——表情は無表情のままだけれど。

「あーあ。壊した壊したー。ソーサクが美術室を破壊したー」

はやし立てるように言う生足くん。

悪い子だ。

天才児くんが壊したわけじゃなく、元からあの板が、外れるようになっていたことくらい、見ればわかるだろうに。

同級生とは言え、相手が権力者であることを思うと、物怖じしない子だとも言える。

「ふむ。しかし美しいタイミングだな。いったん休憩にしよう、ソーサク。降りてこい。ミチル、紅茶と茶菓子の準備を」

団長の言葉に、黙って従う天才児くんと不良くん――およそ人のいうことなんて聞きそうもない無愛想《ぶあいそう》組のふたりも、リーダーの前では揃って従順なものだった。

労働としては、人の乗った脚立を支えるよりもずっと楽だっただろうけれど、天才芸術家の助手という仕事は精神的に疲弊《ひへい》するものがあったので、わたしとしてもここで一息入れられるのは助かる。

美しいかどうかはしらないが、いいタイミングで天井を抜いてくれた。

「あそこの天井板が傷《いた》んでいたんですかね、咲口先輩――だとすれば修理が必要でしょうから、今日中には終わらなくなりそうですけれど」

土台、教室の天井全面を使った絵画を、放課後だけで仕上げようというのがそもそも無茶なのだから、むしろこれを啓示と受け取るべきなのではと、わたしはそれとなく（あるいは露骨に）咲口先輩に促《うなが》してみたが、

「…………」

と、生徒会長はわたしからの注進を聞いているのかいないのか、ぽっかりと開いた天井の穴を注視していた。

なんだろう。

さすがに学校を代表する生徒として、設備の損壊には思うところがあるのだろうか。あれくらいならDIYでぱっと簡単に直せると思うけれど（わたし以外の誰かが）。

「いえ、そうではありませんよ、瞳島さん。ただ、あの穴――まるで抜け穴みたいだと思いましてね」

抜け穴？

確かに、言われてみれば、そんな風に見えなくもない――古びて傷んでいた天井の板が壊れたと言うより、あらかじめ開《あ》け閉《た》てできるようになっていた仕掛け扉が、外れたという風にも。

「へえ。つまり、この美術室には、ロフトがあったと言うことかよ？」

的外れなようで、意外と適切なことを言う不良くんだった――ロフトなんてお洒落《しゃれ》なものではないだろうが、ひょっとしたらこの教室の真上には、隠し部屋があるのかもしれない。

「はっはっは！　どこかに異世界に繋《つな》がる入り口があるのではないかと、僕はずっと追い求めてきたけれど、まさかそれが頭上にあろうとはな！　灯台下暗《もとくら》しとはこのことだ！」

頭上にあるのなら灯台下暗しではないし、お洒落を通り越して夢見がちでさえあることをいう団長だった――小学五年生なら、まあ、異世界に通じるトンネルを探していても不思議ではないのかな？

そのトンネルの入り口を開けた天才児くんの見解が気になったけれど、彼は天井の穴には目もくれず、ソファに沈み込んでいた——無表情なので疲れはみせていなかったが、天井絵を描くというのは、はたで見ている以上に、消耗するものらしい。

天才のアシスタントも疲れるけれど、天才自身はもっと疲れる——当たり前か。

だからってわたしの疲れがなくなるわけじゃないけどね！

「みんな、ロフトとか異世界とか、おかしなこと言っちゃって。天井裏になにかあるとすれば、お宝でしょ」

生足くんが興《きょう》がるように言う。

すべての女子生徒が嫉妬《しっと》するほど幻想的な美脚の持ち主である彼は、意外とリアリスティックな性格なので、たぶん、冗談で『お宝』なんて言っているのだろうけれど、しかし、校舎の構造を思うと、天井裏を隠し部屋というよりは、隠し場所として考えるのは、それこそ現実路線にも思えた。

「ふん。瞳島、お前はどう思う？」

「え？」

不良くんからいきなり意見を求められて、わたしは戸惑う。

わたしごとき新参者が、コメントを？

「いや、えっと……。わかんないや。死体でも転がってるんじゃないのかな？」

「怖いこと言ってんじゃねえよ……、ぽろっと怖いこと言ってんじゃねえよ。ま、こういうときは百聞は一見に如《し》かずだな。ごちゃごちゃ推測するより、登って見てみりゃはっきりするか」

そう言って不良くんは、脚立を登ろうとする。咲口先輩がさりげなくそれを支えるために動いたので、わたしも反射的に、その反対側を支える。

まあ確かに、あれこれ論じるよりも、実際に中に入ってみれば、天井裏がどんな風になっているのかははっきりするだろう——ロフトにしろ、異世界にしろ、お宝にしろ、あるいは死体にしろ。

ただし、残念ながら不良くんは入場拒否された。

普段からの素行《そこう》が問題視されたわけではなく、単なるサイズの問題である——遠近法の理屈で、眼鏡をかけたままだとよくわからなかったけれど、入り口として天井に開いた穴は、中学二年生にしては育ち過ぎたガタイをしている不良くんには、いささか小さかったようだ。

頭が通っただけで、肩のところでひっかかった。

それでも、頭が通ったのであれば、かろうじて天井裏の様子はうかがえるのではないかと思ったが、それもあいにく、

「真っ暗で何も見えねえな」

とのことだった。

「うーん、それは困ったわね。どうしたものかしら。万事休すだわ。あいにく、懐中電灯の準備なんてないし……、身体のサイズが小さくて、暗闇《くらやみ》でも問題なく視覚を確保できる人材がいればよかったんだけど」

「お前が行け」

なんとか巧妙に探索任務を避けようとしたわたしだったけれど、どうやら逆効果だったようで、あえなく不良くんとポジション交代。

サイズだけで言うなら、一年生ズのふたりでも通れそうな穴だし、小学五年生のリーダーは言うに及ばずだったが、まあ、こういうときくらいしか、わたしの視力の使いどころもないだろう。

少なくともカジノでイカサマを見抜くのに使うよりは、よっぽど平和的利用法と言うべきだ——咲口先輩と不良くんに支えられた脚立を登って、そのままわたしは、天井裏にのそのそと這《は》い上《あ》がる。

スカートでは、下にスパッツを穿《は》いていたとしても、とてもできないおてんばな行動だったが、やってみるとちょっぴりわくわくする。

教室の天井裏に潜り込むなんて、ずっと前からやってみたかった気がする！

ただ、そんな『わくわく』は、思ったよりも狭い天井裏の世界で、眼鏡を外したところで、『がっかり』にすり替わる。

天井裏はただの天井裏でしかなかった。

ロフトなんてとんでもないし、隠し部屋でさえなく、もちろんファンタジックあるいはマジカルな世界にも通じていない——お宝が眠っていそうな気配も皆無である。入り口以上に窮屈な、上下三十センチもないような、ただの隙間《すきま》だった。

なまじ眼鏡を外して視力を全開にして見てしまったために、敷き詰められた埃《ほこり》や張り巡らされた蜘蛛《くも》の巣《す》までばっちり確認してしまい、がっかりに加えて、かなり気分が悪くなってしまった。

なんだかんだで期待を募《つの》らせているであろう下界の民《たみ》に、こんなつまらない検証結果を報告するのはつらいけれども、こうなればわたしの気分のためにも、さっさと降りるしかあるまい——いるだけで病気になりそうな空間だ。

このままではわたし自身が、天井裏の死体になってしまいかねないと、詰まってしまいそうな窮屈な中、頑張って方向転換する——と、その不格好な百八十度ターンによって、それまで視界に入っていなかった背後の様子がわかった。

背後と言うか、足の後ろだが。

持て余すようなわたしの視力でも、さすがに後方は観測できないのだ——もちろん、後ろには開けた世界が広がっているというようなこともなく、あるのはそれまでの前方同様の、窮屈な隙間だった。

だけど、その隙間に、まるで窮屈さを強調するかのように、大量の木の板が積み上げられ、詰め込まれていたのである。

校舎を竣工《しゅんこう》する際にあまった木材をここに押し込んでいるのか、だとすれば手抜き工事もいいところだと思ったけれど、さにあらず。

それはただの板ではなかったし、だからと言って木材でもなかった——ぴっちりと布が張られた、四角く組み立てられた木枠。

つまり。

そこに詰め込まれていたのは、大量のカンバスだった。

## 5　発見された絵画の違和感

手ぶらで帰るよりはいいだろうと、わたしは下界の民に呼びかけ、発見されたカンバスを一枚ずつ、降ろしにかかった——わたしが天井の穴から、脚立に足をかけた不良くんに手渡して、不良くんはそれを咲口先輩に手渡す。

カンバスはおよそ三十枚くらいあったので、結構な手間だったけれど、まあ、こんな狭い空間に何度も出入りするよりは、一気にえいやっと済ませてしまったほうがいいだろう。

わたしがこの作業に時間をかければ、才能をフルに発揮したことでえらくお疲れらしい天才児くんを少しでも長く休ませてあげられるという、性格の悪いわたしらしからぬ配慮もあった。

まあ、冒険や宝探しと言うよりは、やっていることは天井裏の大掃除という側面を帯び始めてしまったけれど、天才児くんが天井絵を完成させる前に気付けてよかったとでも思っておこう。

カンバスは新品ではなく、それぞれに違う絵が描かれていた——保存状態はほぼ最悪で、移動させるたびに表面の絵の具がぽろぽろはがれたりひび割れたりもしたけれど、風景画や静物画が多いようだ。

推察するに、これらは美術室が探偵団の事務所ではなく、正式に美術室として使われていた時代に制作された、当時の生徒作品といったところだろうか——三十枚ちょっとという枚数は、ひとクラス分だと解釈すればしっくりくるし、美術室を閉じるにあたって、生徒作品を処分するのも忍びなくって、天井裏に仕舞い込んだ人でもいたのだと見るべきかな？

わたしにできる推理はそんなところだったけれど、ようようすべてのカンバスを美術室内に降ろし、わたしも脚立を使って降り立ってみると、メンバーの見解はどうやら違うらしかった。

彼らは約三十枚の絵を絨毯の上に並べて、わたしという探索者の帰還を待つことなく、ねぎらいの言葉をかけるでもなく、検証を始めていた――休ませてあげようと思っていた天才児くんまでソファから立って検証に参加しているのだから、わたしの配慮くらい無駄なものもない。

慣れないことをしちゃ駄目だな。

これからはより一層、自分のことだけ考えるぞ。

ともかく、明るい場所で、改めて並べられたカンバスを見てみると、これらがかつての生徒作品だというわたしの推理は、口に出す前にこっそりと撤回したほうがよさそうだった。

狭苦しい空間で、作業中に抱《かか》えながら、しかも過剰な視力で見たのではかえってわかりにくかったけれど、下界に降りて眼鏡をかけて、こうして適切な距離から適切な視力で見てみると、とても中学生の作品ではない。

芸術的な意味での審美眼など持たないわたしでもわかるくらい、しっかりした技術に基《もと》づいて描かれた作品ばかりである。

仮に中学生の作品だとするならば、ひとクラスに天才児くん並の才能を持つ生徒がずらり揃《そろ》っていた黄金時代があったことになる——さすがにそれは想定しづらい。もしもそんな時代があったなら、指輪学園から芸術系の授業がなくなったりはしなかっただろう。

となると、俄然《がぜん》熱を帯びてくるのは、生足くんが唱えていた『お宝』説だ。ひょっとしたらこれは、価値のある絵画コレクションかなにかなのでは？

だとすれば、この場合の権利はどこに帰するのだろう。発見者であるわたしにすべての権利があるのだろうか、それともあれは美少年探偵団のメンバーとしての探索活動だった以上、みんなで山分けすることになるのだろうか。仮に山分けすることになったとしても、わたしの果たした役割の大きさを考えれば、5・1・1・1・1くらいの配分が適切だと思われるが……。

「なんかお前、セコいこと考えてないか？」

不良くんに鋭く指摘された。

なぜバレた。

まあ、仮に『お宝』だとしても、こんな酷い保存状態では、その価値も半減以下だろうし、普通に考えて、美術室の天井裏に、価値のある絵画を隠す奴なんていないだろうけれど。

ただ、メンバーの中で、絵画の値打ち、もっと言えば資産価値についてあれこれ考えているのは、どうやらこのわたしだけらしかった——みんなの着目点は違うところにあった。

「なあ、瞳島。この絵、なんか見覚えあると思わねえ?」

「え? 見覚え?」

不良くんにそう言われて、並べられた約三十枚の絵を、正確には十かける三たす三に並べられた三十三枚の絵を、もう一度改めて眺《なが》めてみる——見覚え? いや、そんなことを言われても、今の今まで天井裏で息を潜めていた絵画に、見覚えなんてあるわけが……。

実際、どの絵も、わたしの記憶にはなかった。

ただ、見覚え——見た覚えはないのだけれど、その代わりと言ってはなんだが、それらのカンバスから妙な違和感を覚えるのもまた、事実だった。

どう表現していいのかも迷うような、そこはかとない違和感——しかしそれは、三十三枚のどの絵からも例外なく感じる、というわけでもない。

違和感のある絵と、ない絵がある。

「ざっと半分くらいの絵が、どことなく不自然って気がするかな……」

わたしの呟《つぶや》きに、

「半分か。俺は、三分の一。十枚ってところだな」

と、不良くんが応じる。

「私は八割がたの絵から感じます」

「ボクは二十二枚だね」

生徒会長と陸上部のエースも、それぞれ自己申告をした——生足くんのカウントがやけに精密なのには、なにか理由があるんだろうか？　無口な天才児くんからのコメントは期待できないとして、こうなると気になるのは、我らがリーダーの所見だが？

「うん？　僕は特に違和感は覚えないよ？　どれもこれも、ひたすらに美しい絵だと感じるばかりだよ！」

「………」

新入りのわたしでさえ感じ取れる違和感をまったく感じないというのは、探偵団のリーダーとしていかがなものかと疑義を呈したくもなる——のみならず、こんなボロボロに経年劣化した絵画を、一口に『美しい絵』としてまとめてしまうのも、えらく大ざっぱという気がする。

この人は本当に美学のマナブなのだろうか？

なんでもかんでも美しいと言っているだけのはしゃいだ小学生だったらどうしようと、わたしは密《ひそ》かに不安を抱えた。

それはさておき、団長と天才児くんを例外として、その数にばらつきこそあれ、メンバーの過半数は、この謎の絵画コレクションに、何らかの違和感を覚えることは確かなようだった——それがどういう違和感なのかは、説明できないにせよ。

「ふむ。見覚えと言うよりも既視感――違和感と言うよりも欠落感と言ったほうが、正しいのかもしれませんね」

と、会長先輩。

思わせぶりでやけに持って回ったその物言いは、わたしのような根暗が言ってもムカつかれるだけだろうが、美声の持ち主が言うと、様になる。ムカつくほど様になる。

既視感。欠落感。

見覚えと既視感の違いは、わたしの頭の中にある貧弱な辞書ではわからないけれど、違和感を欠落感と言われると、少し正解に近づけたような気もする――確かに、これらの絵には、何かが足りないような気がするのだ。

足りない。

それは作者の情熱とか、あるいはテクニックとか、そういうあれこれではなくて、もっと具体的なもので――と。

そこで、わたしの背後で、銃声がした。

## 6 芸術家の奇行

失礼、銃声というのはわたしの勘違いだった。

聞き慣れない音なので誤解してしまったけれど、わたしが銃声だと思ったのは、今時の女子中学生ならばまず聞き間違えるはずのない音——すなわち、スマートフォンによるカメラ撮影時に発生する、疑似シャッター音だった。

かしゃ！　って、あれ。

わたしが支給されている子供ケータイでは、どういじくり回しても出しようもない音である——撮影者は、誰あろう、天才児くんだった。

スマートフォンの背面カメラを並べられた絵に向けて、さながら名所を訪れた観光客のように、かしゃかしゃと、その後も連続で撮影を続けている。

三十三枚、すべての絵を撮影するつもりらしい。

「ど、どうしたの？　指輪くん」

呼びかけて見るも、返事はない。

ただ、この後輩が、わたしという先輩からの呼びかけに応じないのはあまりにもいつものことなので、撮影に集中しているから返事がないのか、それともただ返事がないのかは、判断の難しいところだった。

「はっはっは。まあ待ちたまえ、瞳島眉美くん。どうやらソーサクには考えがあるようだぞ」

団長がそう言うのであれば、ここは待とう。

少なくとも、この何も考えがなさそうな団長よりは、天才児くんには考えがあるはずだから——えっと、よく知らないけれど、写真に取ってデータ化することで、画像検索でもするのかな？

そうすれば、これらの絵の作者がわかるかもしれないと？

降ろすときに確認した限り、表にも裏にも、作者のサインのようなものはなかったのだけれど（それがまた、『処分しかねた生徒作品』という説を、弱くしている）、確かに、作者がはっきりすれば、それがわたし達の抱いた違和感を解明するためのヒントになるかもしれない。

あるいは絵の資産価値が判明するかもしれない（わたしはまだ、『お宝』説を捨てていない——発案者の生足くんはもう忘れているようだけれど、それはつまり、分け前はいらないということかな？）。

ただ、撮影を終えた天才児くんが取った行動は、画像検索というような、高度にデジタル的なそれではなかった。

むしろびっくりするほどに、アナログだった。

彼はどこからともなくサインペンを取りだして、あろうことかあるまいことか、液晶画面にすらすらと、ペン先を走らせたのだ——何やってんのこの子⁉

その奇行を止めようと、あわてて駆け寄ろうとしたわたしを、またもリーダーが「まあ

「待ちたまえ、瞳島眉美くん」と止める。「どうやらソーサクには考えがあるようだぞ」

「あなたどうやらそれしか言わないの⁉」

どんな考えがあるにせよ、スマートフォンの画面に直接何かを書き込むなど、正気の沙《さ》汰《た》とは思えない。スタイラスペンだと言うならまだしも、天才児くんが手にしているのは、極めて原始的な仕組みの筆記具である。

液晶画面はわたしの天敵みたいなものだけれど、しかしだからと言ってそんな暴挙はとても見過ごせない――だが、リーダーにかかずらわっている間に、彼の『お絵描き』は終了したらしい。

天井に絵を描いたり、液晶画面に絵を描いたり、この子は何にでも絵を描くのかといぶかしんだが、しかし、天才児くんがスマートフォンをこちらに向けたことで、そうではないとわかった。

彼の目論見が判明した。

むろんこちらに向けたと言っても、彼はわたしに向けたのではなく、リーダーの双頭院くんに向けたのだが――ともかく。

「あっ――あー、あー、あー!」

思わず声が出た。美声とはほど遠いが。

これこそ百聞は一見に如かずだった。

一目瞭然《いちもくりょうぜん》と言うべきかもしれない。

天才児くんが液晶画面に表示した写真には、三十三枚並んだカンバスのうち端っこの一枚が表示されていて——その映像に、天才児くんが表面に描いた線画が重なっている。

天才児くんの線画は早描きのそれなので、あまり精密なものとは言えないけれど、それでも、それが数名の、前屈姿勢になった人間の絵だということはわかって——

「これ、ミレーの『落葉拾い』だ！」

「正しくは『落穂拾い』ですね」

はしゃいだところを、横合いからすげなく訂正された。

咲口先輩、空気読めず。

まあ、正式名称が何なのかは訳の問題もあると思うからさておくとして、カンバスに描かれていたのは、誰もがよく知るあの有名作品だったのだ——ただし、その画角から、人間の姿を取り除いた。

わかりやすく言うなら、ミレーが『落穂拾い』を描いたのと同じ立ち位置から、人払いをした上で、風景のみを描き直した絵。

既視感があるわけだし、欠落感も当然だった。

欠けているのは『人の姿』だったのだ。

いち早くそれに気付いた天才児くんは、それを一同に示すために、液晶画面にペンを走らせるというような奇行に走ったわけか。

確かに一目瞭然ではあったけれど、口で説明してくれても、それはそれできちんと一言でわかったと思うんだけれど……、そんなに喋りたくないんだろうか、この子。

まあ、一枚例示してくれれば、それで十分だ。

これ以上、彼のスマートフォンの液晶画面を傷めるには及ばない（ちゃんと落ちるんだろうか？ いやまあ、彼の経済力を思えば、スマートフォンなんて、携帯式のホワイトボードも同然なのかもしれないけれど）——他の三十二枚も、それと同様に考えればいいからだ。

改めて見直せば、わかる。

見覚えも違和感も、既視感も欠落感も、すとんと飲み込めるものとして、納得できる。

あの絵画はフラゴナール作『ぶらんこ』から、人の姿が消えた風景。

あの絵画はミレイ作『オフィーリア』から、人の姿が消えた風景。

あの絵画はマネ作『草上の昼食』から、人の姿が消えた風景。

あの絵画はルノワール作『ムーラン・ド・ラ・ギャレット』から、人の姿が消えた風景。

ピカソやダリ、ボッティチェリやゴッホ、果ては葛飾北斎《かつしかほくさい》の名作にも、同じ細工が施されている。

風景画や静物画ばかりなのではなく、風景画や静物画になった絵画ばかりなのだ——そうと理解できてしまえば、どうして今までそう理解できなかったのかわからないような、シンプルな謎解きだった。

この場合、謎解きならぬ絵解きと言うべきだろうか。

そしてそこまでわかれば、メンバーごとに、不自然だと感じる枚数が違う理由もまた、明白だった——つまりそれは、それぞれのカンバスの、ベースとなっている古典的名画を、各人がどれだけ知っているかによって生じるバラつきなのだ。

わたしが半分くらいと言ったのは、とりも直さず、三十三枚のカンバスのうち、十六枚前後の絵画を（タイトルや作者名までを正確に言えるかどうかはさておき）、知識として知っていたからだ——逆に言うと、ベースとなっている絵画を知らない残りの半分については、知らない以上は欠落感の感じようもないわけで。

不良くんが、違和感を覚えるカンバスが十枚だと言ったのは、彼が知っている名画が、わたしの十六枚に対して、わずか十枚だったからに他ならない。

「やった！　教養のない不良に勝った！」

「思ってることがそのまんま口に出てるぞ、瞳島」

どんどん性格の地金《じがね》が出てきているぞお前、と、呆《あき》れたように不良くんが言った——なんとでも言うがいい。

負け犬の遠吠《とおぼ》えなど聞こえぬわ。

ただし、聞いてみると、不良くんが把握しているわずか十枚というのは、そのほとんどがわたしが知らない『残り半分』に入っていた——教養がないと言うよりも、知識がマニアックというべきなのかもしれなかった。

鼻につく感じだ。

それにしても、教養ある生徒会長の咲口先輩が、八割がたわかると言うのは、まあ、妥当だとしても、教養という熟語を漢字で書けるかどうかも怪しいまさかの生足くんが、二十二枚——三分の二も知っているというのは、驚きだった。

数字が具体的だったのは、わたしのようなぼんやりしたものではなく、彼の知識が具体的だったからという理解でいいとしても、なんだ、この子、見た目とは裏腹に体育会系だと思わせて、英知まであるのか。

才色兼備じゃないか。

「えへっ、誉《ほ》められるようなことじゃないよ。ほら、古典的名画って、何気に裸婦画ばっかりだから、そういうのを楽しんでいると、自然に知識が身についちゃうんだよ」

本当に誉められるようなことじゃなかった。

可愛く照れ笑いをしながら何を言ってるんだ。

しかし確かに彼の言う通り、三十三枚の絵には相当数、女性の裸が描かれたそれをベースとした作品が含まれているようだった——元より、この生足くんに有利な勝負だったというわけか（勝負じゃないんだけれど）。

「でも、ナガヒロには敵《かな》わなかったね。やっぱり、小学一年生の婚約者を、日々美術館に連れ回しているだけのことはある」

「ヒョータくん。日々は連れ回していません。誤解を招くような表現は慎《つつし》むように」

会長先輩はぴしゃりとたしなめたが、しかし、小学一年生を月々くらいの間隔では連れ回しているのは事実らしい——わたしはさりげなく危険人物から距離を取った。

無口な天才児くんは、その数を公表してはいなかったけれど、まあ専門分野なのだから、三十三枚のカンバスの、すべてのベースを最初から把握していたとしても不思議ではない——他のメンバーが勝手に悩んでいただけで、彼にとっては、こんなのは謎々でさえなかったかもしれない。

しかし、ここで問題となるのは我らがリーダーである。

ゼロって。

小学五年生だから無理はないと言えば無理はないのだろうけれど、それでも、せめて一枚くらいは知ってろよ。

「ふっ。あいにく僕には学がなくてね——僕にあるのは美学だけさ」

「今はその美学の話をしているんじゃないの？」

ただし、そう言えば、これらの絵画を指して、『すべて美しい』と双頭院くんは言っていたけれど、それはそれで、慧眼《けいがん》だったと言うべきなのか——だって、ベースが歴史に残るような名画揃いなのだから、さもありなんである。

もちろん、それらのベースに比べれば、当然ながらこれらの三十三枚は、かなり見劣《みおと》りすると言わざるを得ないだろう。

保存状態の悪さを差し引いても、完成された絵画から人間だけをさっ引くなんて、原作からの改悪と言っていい。

「それとも、絵画の世界じゃ、こういう練習があるの？　芸術は模倣から始まるって言うけれど、なんて言うのか、古典的名作から、人の姿を取り除いて、その分の背景を補うみたいな技法……」

それとなく天才児くんに訊いてみたのだが、それとなく無視された——わたしはこの後輩から嫌われているんじゃないかという疑惑が、日に日に真実味を帯びてくる。

代わりに「そんな修練法は、寡聞《かぶん》にして聞いたことがありませんね」と、答えてくれたのは美少年探偵団の良心、あるいは危険人物、副団長の咲口先輩だった。

「ちなみに名画の模写《もしゃ》は、法律で厳格に禁じられている場合もありますね。同じ号数のカンバスに描いてはならないという風に」

ついでに豆知識まで披露してくれるのだから、行き届いている。
名作ゆえに模倣され過ぎて、どれが本物かわからなくなってしまうケースもあるという
ことだろうか？　しかし、これらの絵は、もちろんそれには当たらない——その仕上がり
はまったく別の作品になっているのだから。
と言うか、クオリティが高過ぎて、そもそも練習というようなレベルじゃあないんだよ
ね？　見劣りするというのは、あくまでも、本物の存在を前提にしたらの話だ。
それだけに疑問である。
これらの絵画の作者は、一体全体どういう目的で、こんな奇妙な絵を、しかも大量に描
いたのだろう？
「ふふん。まるで、カンバスという密室に閉じ込められていた人々が、こぞって脱出劇を
演じたようだね！」
双頭院くんが極めて詩的な表現をした。
いや、詩的と言うより美的と言うべきか？
密室——というのは、いかにも探偵団のリーダーめいた物言いではあるけれども。
ただ、どうだろう、密室であることは確かだけれど、いるべき場所からいなくなってい
るのだから、これは脱出劇と言うよりは……、そう……。
「作者はひとりと考えていいんでしょうか？」

「こんな変なことをする奴が、大勢いるとは思いたくねえな」

誰にともなく発せられた咲口先輩の問いかけに対する不良くんの答は、非常に感覚的なものではあったが、うん、わたしも同意見だった。

「初めてあなたと意見が合ったね」

「それっぽいことを言うな。俺のライバルはお前じゃねえ」

冷たいことで。

「そうだね。僕もまた同意見だ。それはタッチを見ればわかる――できる限り本物に寄せてはいるのだろうが、消し切れていない独特の癖がある」

リーダーがそんな、わかった風なことを言ったのが、どれくらい信憑《しんぴょう》性があるのかはともかくとして。

「作者がどういうつもりでこんな絵を描いたのか、そしてどういうつもりで天井裏に隠していたのか……、喜ばしいことに、謎は尽きないね！」

「でも、双頭院くん。作者がひとりだとしてもそうでないにしても、その辺はもう、わかりっこないことなんじゃやないの？」

期せずして品評会が始まってしまったけれど、こうして三十三枚のカンバスから感じられた違和感の正体が判明しただけでも、めっけものと言うべきだろう。

控《ひか》えめに見積もっても、三年以上前に天井裏に隠されたと思《おぼ》しき絵画の、更なる詳細なんて、どうしたって突き止められるわけがないのだから。

「ふむ。ならば他の謎に向き合ってみようか」

「他の謎？」

まだあるの？

本当に謎が尽きないじゃないか。

「それは、またぞろ、美しい謎ってこと？」

リーダーに対して、やや皮肉混じりになってしまったわたしからの相槌《あいづち》に、しかし双頭院くんは、

「いや、これはむしろ美しさとは真逆の謎と言える――ただし追及せずにはいられないが」

と、わけのわからない受け答えをした。

美しさとは真逆？

なのに追及せずにはいられない？

その物言いのほうが謎めいているが。

「どういうこと？　リーダー」

わたし同様に、双頭院くんの意を汲みきれなかったと見える生足くんからの質問に、

「作者がどうしてこれらの絵を描いたのかという謎は、今のところ棚上げするとして――

どうして『あの絵』を描かなかったのかという謎には、美少年探偵団として向き合わないわけにはいかないということだ」

と、鷹揚《おうよう》に答えた。

『あの絵』？　『あの絵』って、どの絵？

「学のない僕でも知っている、世界一有名な絵画だよ。レオナルド・ダ・ヴィンチ作『モナリザ』だ」

これだけの枚数を描きながら、『モナリザ』をベースとしたカンバスがないというのは、僕のような美学の徒にとっては、およそ承伏しがたいことなのだよ――と、双頭院くんは首を傾《かし》げた。

## 7　描かれなかった絵画

言われてみれば。

美術室に並べられた三十三枚のカンバスの中に、『モナリザ』をベースとした作品はないらしかった。

「？　それがどうしたってんだよ、団長。描かれてない絵くらい、他にもたくさんあるだろうが。ほら、たとえば、ムンクの『叫び』とかよ――」

不良くんのその意見は、わたしの感想の代弁のようでもあったけれど、しかしその一方で、わたしは双頭院くんの言うことも決してわからないではなかった。

三十三枚、歴史から名画をピックアップしようというときに、果たしてその中に『モナリザ』が含まれないということがあるだろうか？

もちろん、人それぞれ好みというものがあるだろうし、世界は広い、『モナリザ』など絵画として絶対に認めないという強硬な意見の持ち主もいるだろう。

不良くんが挙げたムンクの『叫び』は一例で、ベースとして選ばれていない名画は無数にある——決して、『モナリザ』だけが、選外になっているわけじゃない。

ただ、それはあくまでも客観的な意見であって、美少年探偵団のメンバーとしては無学のマナブ、もとい、美学のマナブでさえ知っている絵が、ベースとして選ばれていないというのは、それこそ違和感がある。

欠落感がある。

「……ひょっとすると、その事実を手掛かりに、作者を特定できるかもしれませんね」

副団長が、慎重そうに言った。

「こうして見る限り、これらの絵画のモチーフとして選ばれている三十三枚の絵画は時代も技法もヴァラエティに富んでいて、風景画、裸婦画、歴史画、風俗画、戦争画、日本画、水墨画、抽象画、肖像画と、てんでばらばらで共通点はないように思われますが——

いったいどういう規準で、どういう絵が選ばれているのかを詳しく解析すれば、それが作者の正体に至るヒントとなる公算は高いでしょう」

そうか？

と、疑問を感じなくもないが、しかし、裏を返せば、戦略家の咲口先輩をしても、それくらいしかヒントらしいヒントは見つからないということなのだろう。

まあ、作者さえわかれば、すべての謎が解明されるのは事実である――古びた絵画とは言っても、別に古墳から発掘された絵画というわけではない。

きっと存命だろうし、ならば特定すれば、本人から話を聞くことは可能だろう。『生徒作品』ではないにしても、美術室の天井裏なんて場所に保管してあった絵の作者なのだから、この指輪学園の関係者であることは間違いない。

そして関係者ならば、特定さえできれば、学園の母体である指輪財団の後継者である天才児くんのルートから、アプローチできる――と、かすかに真相究明の光が見えてきたところで、このリフォームされまくった美術室が、一応は教室であることを教えてくれる数少ない要素であるスピーカーから、きんこんかんこんと、チャイムが鳴った。

下校のチャイムである。

「ふむ、切り上げどきかな。では、本日の活動はこれまでとしよう。あとは持ち帰りの宿題とする」

「え？　もう帰っていいの？」

帰っていいの？　と、帰りたがっているわたしの本音が思わず滲《にじ》んでしまうくらい、リーダーからの意外な指示だった——美少年探偵団は下校のチャイムなんて、普段ならば豪快に無視する無法者揃いなのに。

そもそもこうして美術室を占拠していること自体がルール違反だし、この美術室で徹夜みたいな真似をしたという実績もある——もっと言えば、小学五年生のリーダーが、中等部の敷地内にいることも、指輪学園の校則に反しているのだ。

そんな美少年探偵団が、言うに事欠いて、今更のように、下校時間が来たから下校？　おいおい、いつからわたし達はいい子ちゃんの集団になったのだ？

いつもならば、下校のチャイムなんて、夕飯の合図くらいにしか思っていないのに——密かに、不良くんこと美食のミチルが、今日は何を食べさせてくれるのかと、期待していたのに！

こんな落胆したことはない！

わたしが宿題なんてやってくると思うのか？

だが、無法者揃いのいい子ちゃん達にとって、リーダーの決定は絶対だった——美少年探偵団において、民主制は採用されていないのだ。

「まあ、この妙ちきりんなカンバスをどうにかしないことには、天井絵の作業も、これ以

「上進めようがないからな。たまにゃ俺も、頭使ってみるとするか」

「そうですね。私は生徒会長の権限を活用して、学校側に探りを入れてみますよ——美術室が閉鎖されるときに、何かあったのかもしれませんし」

「ボクは久し振りに、家の本棚から画集を引っ張り出して、照らし合わせてみよっかな。本物と見比べてみれば、わかることもあると思うし。裸婦画から裸婦を取り除くなんて一大犯罪は、断固として許せないからね」

どうも生足くんだけ、モチベーションが違うところにありそうだったが、ここでわたしだけが異議を表明しても意味はあるまい。

だいたい、損得だけを考えるならば、ここで異議を表明しても、わたしの得にはならないのだ——こんなよくわからない絵はどうでもいいから、元の場所に戻して、天井絵の作業を続けましょうよと主張し、万が一それが通ってしまったら、わたしは過酷なアシスタント作業に戻ることを余儀なくされる。

それも、場合によっては徹夜で。

冗談じゃない。

リーダーにどういう心境の変化があったにせよ、帰してもらえるのであれば帰してもらおうじゃないか——問題の先送りに過ぎないけれど、なに、明日の放課後は、わたしが不良くんと生足くんの包囲網から逃れられるという可能性もないじゃない。

「珍しく我らが反論者からも異論はないようだね。では決まりだ」

リーダーはまとめるように、ぱんと手を打った。

わたしはどうやら、陰《かげ》で『我らが反論者』などと呼ばれているらしい——適切なニックネームだ。

と、わたしはそこで、まだ天才児くんの意見を聞いていないことに思い至った。いや、無口な彼が、特にわたしに対して無口な彼が、こういうときに自分の意見を言わないのは恒例なのだけれども、しかし往々にして、そういうときは天才児くんの意見を、以心伝心のリーダーが代わりに表明するのまで含めて恒例なのだけれど。

これじゃあまるで、天才児くんの無口をいいことに、彼の意見を無視したかのようじゃないか——いや、天才児くんからは日常的に無視されているわたしなので、これを意趣返しと思えばすかっとすると言うこともできるのだが、しかし今回の活動は、芸術家としての指輪創作を主軸としたものであったことを思うと、カンバスの発見者として、いささか心痛を覚える。

天才児くんこそ、こんな古びたカンバスなんてどうでもいいから、天井絵の作業を再開したいと思っているんじゃないだろうか——だとすれば、わたしは『我らが反論者』としての役割を、やっぱり果たしてあげるべきなのでは？

帰宅できないのは断腸の思いだが、正直に言えば、彼が天井絵を完成させるのを見たいと思っているのも、本当なのだから。

素晴らしい作品の誕生に立ち会えるというのは、そしてその完成に関われるというのは、わたしのようなひねくれた人間にとっても喜びとなるのだ——うん、まあ、ほんの少しは。

なので、わたしは帰宅の準備を始めるリーダーを、それに不良くんや会長先輩や生足くんを、すんでのところで引き留めかけたけれど——そこで、ふと気付く。

否。

否、否。

そうじゃない——既に、代弁されているとしたら?

天才児くんの意見は、既に双頭院くんの口から表明されているのだとすれば——実は、彼こそが、一番、発見されたカンバスの正体の究明を、望んでいる?

切り上げかたが双頭院くんらしくないと思うのは、元をただせば、『持ち帰りで宿題にする』と言うのが、天才児くんの提案だから?

わたしは天才児くんを振り向く。

たとえ眼鏡を外して見ても選ぶところのない、いつも通りの無表情からは、やっぱり彼が何を考えているのかはわからなかった。

何を望んでいるのかさえも。

# 8 帰路

なんともありがたいことに、自宅までの帰り道は、不良くんと生足くんが送ってくれた。女の子扱いされたかったら男装なんてしていないけれども、まあ、すっかり夜も早くなった昨今、甘えておくことにした——気持ち的には、左右を固められ、護衛されていると言うよりも、護送されているみたいだけれど。

「まあ、滅多《めった》なことはないと思いますが、前回の件がありますからねえ。用心に越したことはありません」

と、咲口先輩は言っていた。

美少年探偵団に加入して以来、大小含めれば無数のトラブルに巻き込まれているので（大抵は身内からもたらされたトラブルだ）、前回の件というのが何を指しているのかわかりにくかったけれど、わたしの通学路に関して言うのであれば、たぶん、髪飾《かみかざり》中学校との一件のことを言っていたのだろう。

「向こうは今、ごたごたしてるはずだから、こっちの学校に手出しする余裕があるとは思えねえけどな」

不良くんはそう言いつつも、ちゃんとわたしを玄関前まで送り届けてくれた——安全が確保できるのは助かるのだけれど、その一方で両親がわたしを見る目が、昔よりもきつくなっている気もするので、加減が難しいところだ。

実際、どうなのだろう。

娘が夢見がちに存在しない星を追い求めていた頃と、娘が男装して色とりどりの美少年達とつるんでいる現在と、親としてはどちらのほうが心安らかでいられるのだろう——となんとなって気もするけれど。

「念のためって言うより、気休めみたいなものだけれどねー。どれだけ気を張っていても、誘拐されるときは誘拐されちゃうんだから」

天真爛漫《てんしんらんまん》な笑顔とは裏腹なことを、生足くんは言う——さすが、人生でこれまでに三回誘拐されたことのある子は、言うことが違う。

「だから、そういうときのために、ナガヒロは瞳島ちゃんに、携帯電話を支給したのかもしれないね」

ああ、そういう見方もできるのか。

腹黒い生徒会長に首輪をつけられたとばかり思っていたけれど、この種の子供ケータイは、防犯ブザーとしての役割も果たすのだ。

ストラップを引っ張れば、大音量の警告音が発せられるという、その点だけは最新型のスマートフォンを凌駕《りょうが》する特有の機能を備えているのである。

「そっか……、咲口先輩、そこまで考えてくれてたんだ」

「うん。やや過保護気味だけどね。さすが、ロリコンだから子供ケータイに詳しいだけのことはあるよね」

そんなさすがはないと思うが。

女の子扱いどころか、幼女扱いされていると思うと複雑でもあったけれど、しかしまあ、その過保護はありがたく受け取っておくことにしよう。

しかし――誘拐か。

誘拐と言えば。

「ねえ、ふたり共」

玄関の門扉《もんぴ》を閉めたところで、わたしは不良くんと生足くんに質問した。

「リーダーは、あの三十三枚について、カンバスという密室からの、人々の脱出劇みたいに言ったけれど、あれって、むしろ誘拐みたいだと思わない？」

「あ？」

怪訝《けげん》そうにする不良くん。

ただ、この感覚は、被誘拐経験の豊富な生足くんにはわかりやすかったようで、彼のほうは「うん、それはそうかもね」と言う。

「絵画の中に閉じ込められていた人々の脱出というより、絵画の中で保護されていた人々が、かどわかされたと言われたほうが、ボクとしてはしっくりくる」

「そんなのおんなじようなもんじゃねえのか?」

不良くんにはぴんと来ない感覚らしい。

誘拐されたことのない奴はこれだから!

まあ、この番長は、どちらかと言えば誘拐する側の人間だから、そういう細やかな機微はキャッチできないのかもしれなかった。

「お前、俺のことを悪魔か何かだと思ってないか……?」

不良くんはじろりとわたしを睨み、

「なんでもいいけど、お前も一晩、ちゃんと考えろよ。リーダーからの宿題なんだから」

と、念押しするように言う。

脱出と誘拐の区別はつかない癖に、どうしてわたしの怠け心はお見通しなのだろう。

「ははーん、さてはわたしのことが好きなんだな?」

「ぶっ殺すぞ」

距離感が難しかった。

ひとたび美術室を離れたら仲間ではないということを、ゆめゆめ忘れないようにしないと、根暗な割に調子に乗りやすいわたしは、いつか痛い目を見そうである。

「真面目《まじめ》な話、いつまでもお客さん気分でいてもらっちゃ困るぜ、瞳島。何度も言うけど、さっさとメンバーとしての自覚を持て。お前は人気アニメの劇場版に声優として客演する今旬の芸能人か」

わたしのようなものを今旬の芸能人にたとえてくれるとは持ち上げられたものだけれど、しかしそれはそれで強いなあ、風刺が。

「やめなよ、ミチル。そんな発言をしたら、ボク達の活躍が劇場版になるとき、支障を来すかもしれないじゃないか」

珍しく生足くんが叱責《しっせき》するようなことを言った——それ自体は誉めたいところだけれど、何気に野心がでけえ。

劇場版を目指すな。

とは言え、不良くんの言う通りだった。

不良に真面目な話をされていたら世話もない。

わたしは、明日の放課後までに自分なりの仮説を立てて発表することをふたりに約束して、安息の我が家へと這入《はい》ったのだった。

仮説。

探偵団としていうなら、推理という奴だ。

気が重いという他ない。

今更言うのもなんだけれど、わたし、推理小説にそんなに詳しいわけじゃないんだよな

——活字自体、そんなに嗜《たしな》んでいない。電車の中の読書人口を減らしているひとりなのだ。

家族への帰宅の挨拶《あいさつ》もそこそこに、自室に戻って男装を解く——男子の制服自体は、そりゃあ作りが男子仕様なので、女子の体格ならば着やすいものなのだけれど、しかし胸部の矯正については、やはりまだ慣れないのだ。

帰宅した以上は一刻も早く解除したい。

そう言えば、わたしのこの男装は、そもそもは天才児くんが仕立ててくれたものの見様《みよう》見真似《みまね》である——もちろん、美術班ならぬわたしは門前の小僧なので、その仕上がりは天才児くんがしてくれたものには程遠いのだが。

見様見真似。

芸術は模倣から始まる。

発見されたあの三十三枚の絵画は、習作ではないというのが、現在のわたし達の見解ということになる——さりとて、謎の作者が、贋作《がんさく》を作ろうとしたわけでもないのも明白だ。

となると、考えられるのは……。

わたしは男の子から女の子へとドレスチェンジしつつ、頭をひねる。どうせ部屋着なので、お洋服のセレクトにひねらなくてもいい分、余裕はある。

ながら推理だ。

考えられるのは、何らかの批判か？

言うなら、不良くん的な風刺だ。

メッセージ性。

誰もが評価する古典的名作をあえて改変して描くことで、何らかの意思表明をしている……、どういう風に描いたのかわからないほどの仕上がりのクオリティを思えば、改悪とまで言ってしまうのは言い過ぎだったかもしれないけれど、作者がいることを考えれば、冒瀆《ぼうとく》的な行為であることに間違いなく。

偉人とも言える過去の画家に対しての挑戦状として描かれた絵画なのだと仮定してしまえば、そこに立脚してどうにか明日の放課後までに推理を組み立てられそうでもあるけれど——けれど、わたしはそこで、一旦《いったん》停止することにした。

限られた条件の中で思いつくでっち上げの推理としては、まあまあ適切なそれかもしれないけれど、しかし——考えてみれば、わたしはただ、推理をすればいいというものではないのだ。

真っ当な探偵団ならば、それで何の不満があるのかという話になるだろうけれど、わたしがメンバーとして所属しているのは、美少年探偵団なのである。

提出する推理は、美しくなければならない。

「美しくあること、少年であること、探偵であること、か——」

美少年探偵団の団則である。

そして、それらに続く四つ目の団則を、わたしは強く、常々、深く心に刻まねばならない——と。

わたしが着替え終えたタイミングを、まるで見計らったかのように、ハンガーに掛けた制服のポケットから、着信音が響いた。

子供ケータイが鳴ったのだ。

なんだ、やっと安息の我が家の、それも自室で、くつろいだ格好をしたと言うのに、またもリーダーからの召集がかかったのか——新入りで、しかも真実は美少年どころか性格の悪い女子であるわたしを、変わらぬメンバーとして扱ってくれている彼らには本当に申し訳ないのだけれども、本気でうんざりした。

気付かなかった振りをしようかなあと一瞬、躊躇《ちゅうちょ》したけれども、まあ、そういうわけには行くまい。

わたしは覚悟を決めて受信ボタンを押した。

しかし、その覚悟は杞憂《きゆう》だった。

逆に言うと、まるっきり覚悟していなかった方向からの不意打ちを、わたしはがつんと食らうことになった——美少年探偵団のメンバーしか知らないはずの子供ケータイに、このほどあった架電の主は、しかし、美少年探偵団のメンバーではなかったからだ。

「もしもし？　僕です」

その声は。

過保護な咲口先輩は、そもそもその人物から保護するために、わたしに子供ケータイを支給したはずという人物の声だった。

「お忘れだとは思いますが、札槻嘘《ふだつきらい》です」

忘れられるわけがなかった。

## 9　推理合戦

翌日の放課後、美少年探偵団のメンバーは約束通りに美術室に集合した。厳密に言うと、懲《こ》りないわたしが再度の脱走をはかろうとしたのだけれど、不良くんと生足くんのコンビネーションの前に、あえなく拿捕《だほ》された。

二連敗。

探偵団とか美観のマユミとかは置いておいて、呼ばれると行きたくなくなるわたしのねじくれ切った性格は、将来のためにも今のうちに直しておいたほうが本当によさそうだったけれど、それはともかく——わたし達はテーブルを囲んでいた。

発見された天井へのルートは開けっ放しで、三十三枚のカンバスも、昨日整然と並べられたそのままだ――描き掛けの天井絵も、静かに再開の時を待っている。

「さて！　それでは各人、持ち寄った推理のお披露目と行こうかね！　諸君が僕を楽しませてくれることを揺るぎなく確信しているよ！」

リーダーは湧き上がるうきうきを隠そうともせずに、そんなことを言う――そこまでの期待をされてしまうと、正直、及び腰になってしまうのだけれど。

気持ちを落ち着けるために、わたしは不良くんが淹《い》れてくれた紅茶を飲む。

「ぐはあっ！」

吐《は》き出《だ》した。美味《おい》し過ぎて。

馬鹿《ばか》な、これはわたしの低俗な味覚に合わせてブレンドされた一杯のはずでは⁉

「おっと済まねえ。間違えたぜ」

さらりとそんなことを言いながら、さながら熟練のギャルソンのように、テーブルをあらかじめ用意していたらしい布巾《ふきん》で綺麗にする不良くん――確信犯の手際だった。

二日連続で逃げようとしたわたしへの懲罰だろうか、それとも、ここ最近、彼をなめた態度を取っていることへの報いだろうか。

いずれにせよ、食という分野を管理している人間を敵に回す恐ろしさを思い知ったわたしだった――まあ、怪我《けが》の功名で、緊張が程よく解《ほぐ》れたのは助かった。

ちなみに、わたしに復讐《ふくしゅう》を果たせて気をよくしたらしい不良くんはもちろんのこと、わたし以外のメンバーには、緊張らしい緊張は見えない。

生足くんはいつも通り、ソファの上でひっくり返るという己の美脚を強調する独特のポーズを取っているし、天才児くんも、いつも通りに何を考えているのか一切不明な無表情だ。

その無表情を見ていると、やっぱり昨日の考えはわたしの穿《うが》ち過ぎで、彼は天井絵の制作を再開したいのではないかという風に見えなくもないのだけれど——ただ、強《し》いて言えば、咲口先輩の口数が、いつもよりも少ないように感じられた。

一同が会したこういう場面は、だいたい、美声のナガヒロが司会役を務めそうなものなのに、今日に限っては、どうも一歩引いているらしく思える。

でも、これはわたしの気のせいか。

昨夜、指輪学園の生徒会長である咲口先輩にとって天敵という他ない、髪飾中学校の生徒会長と通話したという後ろめたさが、わたしにそう思わせていると見当をつけたほうがいいだろう。

大体にして、咲口先輩の様子が変なときは、ロクなことにならないので、そう思い込もうとしているだけかもしれないけれど——ともあれ、不良ギャルソンが英国式アフタヌーンティーよろしくのスコーン&フルーツ&スイーツをテーブルにセッティングしたところで、宿題の発表会はスタートした。

とは言え、こういうシーンでは誰から発表するか、探り合いになりそうなものだけれど、

「では僕から行かせてもらおうかな！　手始めに僕の推理を、きみ達にご静聴願うことにしよう！　いきなり正解を出してしまったら興ざめかもしれないが、そのときは是非みんなでカワバンガ！　と叫んでくれたまえ！」

と、意外なことに、ここで率先して挙手したのは双頭院くんだった——いや、意外でもないのか。どうあれこういうときに、自ら先陣を切るリーダーだからこそ、彼はこの問題児達のリーダーたりうる雅量なのである。

見習えるものなら見習いたい。

……ただし、それは推理の出来不出来は別にしての話だった。

「あそこに並べられた三十三枚の絵画が、歴史的な名画から人の姿を除いて描き直したものだというのが昨日の時点での見解だったが、しかし僕はこう考え直してみた。実は、逆なのではないか。このたび発見された三十三枚の絵画こそが先に描かれたものであり、今、世界中の美術館で展示されている名画こそが、これらをベースに描かれた作品ではなかろうかとね！」

あまりにも大胆なその仮説に、一瞬はっとさせられかけたけれど、いや、そんなわけね

えだろ。

カワバンガ！　とは言えないよ。

サーファーじゃないから、ただでさえ言わないけれど。

確かに保存環境の問題もあり、三十三枚のカンバスはかなり時代がついているにしても、それでも、数十年も数百年も前の作品だとは、とても考えられない。経年していても、精々十年と言ったところだろう。

万が一、万々が一、名画にルーツとなるような作品があったとしても、そんな価値のあるカンバスが、いち中学校の天井裏にセットで揃っているわけがなかろう。

「さすがリーダー、素晴らしい推理です。往年の本格推理小説を思わせる、大逆転のスーパートリックですね」

ずっと静かだった咲口先輩が、拍手をしながらそんなことを言う——類まれなる美声で言っているからそう聞こえないけれど、スーパートリックって、そんなに誉めてないだろ。

馬鹿にしていると言ってもいい。

ただし、忠誠心あふれる副団長が、団長を馬鹿にすることなど、それこそ天地がひっくり返ってもありえないことなので、どうやら咲口先輩は反射的に、上の空で応対しただけのようだ。

もっとも、副団長が団長の推理を（たとえそれがどれほど的外れな推理であっても）、上の空で聞くということも、それなりにありえないことではあって……、やっぱり何か、腹に一物、抱えているのだろうか？

陽気なサプライズとかならいいんだけれど……。

「そうだろうとも、そうだろうとも。あらゆる絵画芸術がこの美術室から始まったのだとすれば、僕もそこを根城とする美少年探偵団の団長として誇らしいよ。惜しむらくは、この推理でもやはり、三十三枚の中に『モナリザ』の背景が含まれていないことの説明がつかないことだが、しかしまあ、そこはかつてこの学園に、レオナルド・ダ・ヴィンチが在籍していたのだと考えれば、しっくり来る」

来るか。

がっくり来るよ。

肝心なところがこじつけじゃないか。

いや、肝心なところ以外も総じてこじつけだけれど——ただ、恥ずかしげもてらいもなく、そんな夢想的な推理を堂々と発表できる双頭院くんは、なるほど、わたし達に範を示してくれたと言える。

ハードルを下げてくれたとも言えるし。

「ま、正否を問うのは、全員の推理が出揃《でそろ》ってからにしようぜ——次は俺でいいか？」

次に挙手したのは不良くんだった。

リーダーの体面を潰《つぶ》さないその進行は、普段ならば咲口先輩の役割なのだろうが——美術室の外では激しく対立する生徒会長と番長も、美術室の中では、フォローし合う間柄というわけだ。

もちろん、次が不良くんで悪いわけがない。できることなら、わたしが発表する予定の推理と案がかぶれと思っている——そうすればわたしは発表せずに済むから。

## 10　不良くんの推理・生足くんの推理

「悪いけど、俺の案は団長のとは違って、普通の推理だよ……、頭脳労働は向いてないんでな、独創的ってのは苦手だ」

リーダーが下げてくれたハードルを更に下げるような前置きに、そりゃあ『不良』くんが『悪い』のは理の当然だと、わたしは混ぜっ返そうかと思ったけれど、わたしはこれからも彼が淹れてくれるおいしい紅茶を適度に嗜みたいので、だんまりを決め込んだ。

毒殺はごめんだよ。

頭脳労働はもちろんのこと、レシピを遵守《じゅんしゅ》することが基本である料理の世界に生きる不良くんが、独創を苦手とするのはなんだかわかる気もするけれど、ただ、そんな彼だからこそ、芸術の世界における謎について、どのような解答を用意したのかには、純粋な興味もあった。

「絵の練習として、古典的名作を模写したんじゃねえのかってアイディアは、昨日出て、それで否定されたよな？　こんなわけのわからねえ修練はないだろうって。まあ、俺もそう思う――むしろこんな練習をしたら、却《かえ》って変な癖がついてしまいそうにも思える。調味料抜きで料理を作ってみようとしているみてーなもんだ」

調味料どころか、食材そのものかもしれない。

三十三枚すべてがそうというわけではないけれど、やっぱり、人間を中心に描かれた絵なのだから、その中軸となるモチーフは、やっぱり人間だろう。

肉なしで焼き肉を焼いてみようとしているようなものなのでは？　そりゃあ、野菜やご飯やシメの冷麺《れいめん》だって、しっかりおいしいけれど、しかしそれじゃあ、焼き肉という料理にはならない。

「そう。それじゃあ模写にはならないし、練習にもならない――けれど、模写でも練習でもなかったとしたらどうだ？」

「？」

なんだ。

振ってくるじゃないか。

「それはつまり、工夫ってこと？」

生足くんが反応した。

ソファの上に逆立《さかだ》ち（逆《さか》さ座り？）している生足くんは、ふざけ半分のようにしか見えないけれど、心持ちは意外と真剣な姿勢で、この発表会に参加しているらしい。

まあ、以前のことは知らないけれど、わたしがご一緒した中では、謎解き合戦と言うのは、これまでで一番探偵団らしい活動でもある。

波乱の人生を生きてきて、自分の脚に寄る辺を見つけるしかなかった彼は、実際以上の精神年齢ではあるのだろうが、それでも、こういう子供っぽい遊びを楽しもうとする幼《おさな》心《ごころ》までは失っていないのだろう。

団則に忠実である。

少年であること、探偵であること。

指輪学園の女子全員に黒ストを穿かせたという伝説を持つ、足の美しさは言うまでもなく。

しかし、『工夫』とは？

「パロディとか、本歌取りとかに近いんだけど、それともちっと違うか？　まあ、ベースとした絵をルーツとして派生した、まるっきりの別物として、仕上げた絵画って意味だよ」

「原作に対する挑発として描かれた絵画ってこと？」

わたしはそう問う。

もしそういう意味だとしたら、この不良はわたしが捨てた案を採用しやがったぜという意味合いを込めて（自分の性格の悪さにほとほと目眩《めまい》がする）。

「いや、そういう批判とか、悪意とかじゃなくってよ……」

批判でも悪意でもない。

じゃあ風刺だろうか？

それこそ不良くんの専門分野だけれど。

「それはたとえば、ゴッホの『ひまわり』を受けて、ゴーギャンが『ひまわり』を描いたようなことを指して言っているのですか？」

咲口先輩が、そんなことを言った。

身が入っていないのは確かなようだが、それでもまったく話を聞いていないわけではないらしい——ただ、そんな例示に対して不良くんが返したのは、

「ゴッホ？　ゴーギャン？　ひまわり？　誰だそりゃあ」

というものだった。

ゴッホやゴーギャンを知らないどころか、『ひまわり』まで人名だと思っているらしい

——逆にそんな前知識でよくも推理を組み立てられたものだと感心する。

残念ながら不良くんには通じなかったようだけれど、しかし、咲口先輩のたとえは、わたしの蒙《もう》を啓《ひら》いてくれるものだった——確かに、それは『工夫』と言える。

批判的精神や挑戦的姿勢、あるいは風刺の心が、そこにまったく介在していないわけじゃあないんだろうけれど、少なくとも悪ふざけとは違う。

「なるほどな。それは実に面白い発想だぞ、ミチル。学のない僕には芸術の世界のことはいまいちわからないが、そういうのは推理小説でもありそうなことじゃないか」

確かに。

そもそも推理小説というジャンル自体が、エドガー・アラン・ポーという作家の書いた一編の小説を起源としているわけだし。

「うん？　エドガー・アラン・ポー？　どなたかね、それは？」

双頭院くんが不思議そうに言う。

この団長にしてあの団員ありと言うよりも、美少年探偵団を統べておきながら、この団長は、江戸川乱歩のペンネームの由来を知らないのか。

「あはは。江戸川乱歩で言えば、たとえば『屋根裏の美少年』ってタイトルの本が発売されたとしても、そこにあるのは偉大なる先人に対する並々ならぬ愛着だけであって、決して悪乗りの気持ちなんてひとかけらもないと言うことだね」

生足くんがそんな風にまとめたけれど、いや、それは明らかに悪のりだろ。

さておき、不良くんの推理は、確かに独創的なものではなく、たぶん、双頭院くんが誉めそやすほどに面白いものでもないのだろうけれど、しかし、これは普通の推理と言うよりは、真っ当な推理と言うべきなのだ——この子、本当になんで不良なんてやってるのかな？

もちろん、穴はある。

双頭院くんが提出した、独創的で面白く、しかし的外れな美しい推理と同じ穴だ——パロディや本歌取りなのだとすれば、大名作である『モナリザ』が、三十三枚に含まれていないのは不自然である。

それこそ、古典的推理小説のベスト33を語ろうというときに、『モルグ街の殺人』をそこに入れないのと同じような不自然さだ——あのトリックをどう評価するかは個々の好みによるだろうが、しかしかの作品の歴史的な価値は、個人の好みを遥《はる》かに越えているだろう。

「古典ミステリーのベスト33ですか……、確かに、私だったら、『Yの悲劇』は外せませんね」

咲口先輩の、私に対する相槌は、なんだか適当っぽかった——やっぱり本腰が入っていない。

彼はひとりで何を抱えているのだろう？

もしも小学校低学年の婚約者のこと以外で悩んでいるのなら、この際、早く打ち明けてほしいものだが……。

「じゃ、次はボクの番だね」

しかし、名乗りを上げたのは生足くんだった。

この子は咲口先輩の異変に気付いてないのだろうか？　いや、気付いていても、生足くんの場合は、その異変を楽しんでいる可能性はある。

そんな、わたしとは違う意味で性格の悪い彼の提出する推理は、実に『らしい』ものだった。

「ボクは見ての通り体育会系だからね、団長やミチルが言うような芸術的な解釈ってのはできなかったんだ。だから、見たものをそのまんま解釈した。えーっと、自分が作者だったら、どういうつもりでこういう絵を描くだろうかって」

どういうつもりで。

つまりモチベーションと言うことか？

不良くんの推理においては、それは創意工夫ということだった。

「見たものをそのまんま解釈、か。確かに、それこそが真理なのかもしれないね。謎を解く上で、それ以上に大切なことなんてない」

もっともらしい頷《うなず》きを見せる双頭院くんだったが、どこまで団員の意図を汲んで頷いているのかは不明瞭《ふめいりょう》だった——なのでわたしは素直に、「どういうこと？　足利くん」と訊く。心の中で彼を生足くんと呼ぶことに慣れてしまって、『足利くん』という呼びかけに違和感を覚えつつも。

ただ、わたしが素直になった分というわけでもないのだろうが、生足くんは、

「正確には、自分が作者だったら、どういうつもりで、ベース通りに描かないだろうって考えたんだ——でも、できることなら、名作は名作通りに描きたいよね？　余計な工夫なんてせず」

当てこすりみたいな余計な一言に、不良くんは軽く舌打ちしたが、まあ、それもまた、不良くんの推理の穴と言える。

工夫して、決してよくなっているわけじゃあないからね。

試みとしてはありでも、結果が伴っているとは言い難《がた》い。

三十三枚のクオリティの高さは、『良い』と言うだけじゃなく、『元通りに描いていたら、もっと良かったのに』と思わせるものなのだ。

生足くんもそう感じたからこそ、そんなひねくれた見方を立脚点にしたわけだ。

「どういう理由があれば、ボクは裸婦画から裸婦を外すような暴挙を犯すだろうか……、そういう見方を立脚点にした」

……わたしが想定する以上にひねくれてはいたが、しかし、生足くんの姿勢は一貫していた——まあ、それでもいいだろう。

同じことでもある。

男装しているからと言って、別段裸婦に興味があるわけじゃあないけれど、しかし、そんなわたしから見ても、『沐浴《もくよく》する女たち』から、『沐浴する女たち』をさっ引く理由は謎である。

その謎に対して、生足くんは、

「作者の人は、人間を描くのが苦手だったんじゃないのかな」

という、実に身も蓋《ふた》もない答を出した。

「人物画が不得意だったから、名作を模写するにあたって、描きやすいように描いたんだと考えれば、あの三十三枚にも説明がつくと思ったんだけれど」

下手な裸婦画を描くよりも、そこはイマジネーションに任せたほうがいいってもんでしょ？　と求められた同意には決して応えられないにせよ、しかし、『苦手なものは描かない』という、なんとも言えず即物的で、芸術とは程遠い感性自体は、わたしのような一般人には理解しやすいものだった。

そして、それならば『モナリザ』をベースとした絵画が三十三枚の中に含まれていないことにも、一定の説明がつく。

レオナルド・ダ・ヴィンチのタッチが苦手だから描かなかった——描かなかったのではなく、描けなかった。

それだけの話。

なんだか『人間が描けない』という表現をすると、それこそ推理小説に対する典型的な批判のようだけれど……。

すっきりすると言えば、これ以上にすっきりする推理もなかなかあったものじゃないだろう——ただ、別の穴と言うか、難点はある。

美少年探偵団のメンバーがする推理としては、致命的な難点だった——つまり、推理として美しくない。

わたしのような一般人に理解できてしまうという時点で、それは難点なのだ。

ただし、わたしが指摘するまでもなく、生足くんもそれは重々承知しているようで、決め手として提出したつもりもないらしく、

「じゃ、次は瞳島ちゃんの推理を聞かせてよー」

と、バトンを手渡してきた。

やれやれ、お鉢が回ってきたか。

わたしのお出ましだ。

残念ながら、不良くんの推理も生足くんの推理も、わたしの持ってきたものとはかぶら

なかった——しぶしぶながら、演説をするしかなさそうだ。
ただ、これは厳密には、わたしの推理じゃないんだけれど……。

## 11 瞳島眉美の推理？

「まあ、推理って言うよりも、根拠があるわけじゃない当てずっぽうなんだよね……、わたしも芸術的な感性があるわけじゃないから」

体育会系でもないけれど。

じゃあわたしは何なんだろう？

天体観測だって、別に専門分野というわけでもないし——強いて言えば、わたしの専門分野は、視力だろうか？

そう。視力。

「足利くんは、作者が人間を描こうとして描けなかったから断念したんだって推理したけれど、わたしは、それ以前に、この作者には人間の姿が見えなかったんじゃないかと思って——」

「人間の姿が見えなかった？　なんだそりゃ？」

眉を顰《ひそ》める不良くん。

リーダーの推理には異を唱えなかった彼だが、その優しさはわたしに対しては発揮されないらしい。

まあ、こんな風にしどろもどろでいかにも自信なげに言っていたら、つっこまれても仕方ないけれど。

しかし、プレゼンを始めてしまった以上、途中でやめるわけにもいかない。

「ほら、わたしがいい例だけれど、視力って一通りじゃないじゃない？　わたしが眼鏡を外したときに見える景色と、不良くんが見ている景色は、まったく別物なわけで――じゃあ、同じモチーフを描こうとしても、わたしが描く絵と、不良くんの描く絵って、ぜんぜん違う絵になるよね？」

「お前はまず俺のことを不良くんと呼ぶのをやめろ」

よくわかんねえよ、とぼやくように言われる。

むろん、不良くんと呼ばれる理由がよくわからないのではなく、わたしのプレゼンがわかりにくいのだろう。

ここぞとばかりに咲口先輩からのサポートを期待したが、彼は思案投げ首モードだった――そりゃまあ生徒会長の演説に比べれば拙《つたな》いトークだけれど、聞いてくれたら嬉しいな。

「えーっと、だから、シャコって、人間には見えない波長の光も相当まで見ることができるっていうよね？　それに、蜘蛛は八つの目で世界を捉えているとか——トンボが複眼だとか」

「どんどんわけわかんなくなっていってるぞ。複眼っつーか複雑だ。お前はまさか、あの三十三枚の絵の作者が、シャコとか蜘蛛とかトンボだってのか？」

絡むように言いながらも、しっかりわたしの話に食いついてくれる彼は、確かに好き嫌いをしない美食のミチルなのかもしれない——食わず嫌いをしない暴飲暴食のミチルかもしれない。

「作者が人間じゃないというのは、瞳島眉美くん、いくらなんでも突飛なアイディア過ぎないかね？」

双頭院くんに疑義を呈された。双頭院くんに。

いや、違う。

そこまでは言ってない。

そこまでの想像力があれば、わたしの人生はこんな有様にはなっていない。

「いや、視力にもいろいろあるって言いたかっただけで、シャコや蜘蛛やトンボが作者だってことじゃないの——そこまで言わなくとも、人間だって、視力には個人差があるわけで……」

話が戻ってしまう。

だから、この言いかただと通じないのだ。

えっと……、『彼』は、なんて言ってたんだっけ？

「虹《にじ》ってあるじゃない？　一般的に虹は七色だと思われているけれど、必ずしもそれは事実じゃなくって、十色や十二色に見える人もいれば、五色や三色に見える人もいて――『青』って言ったときに、そこに『緑』を含める人もいれば、『緑』を二十種類以上に分類できる人と、『ピンク』と『桃色』は同じ色だっていう人もいる」

「黒板なのに緑とか？」

生足くんの相槌は、わたしが今言っている比喩《ひゆ》からはダイナミックに外れたものだったけれども、しかしまあ、本質的に言っていることは変わらない――濃い緑だって、それを黒だと思っていれば、黒になる。

「さっき足利くんが、見たものをそのまんま解釈したって言ってたけれど、『見たまま』を描いても、人によって違う絵になる――だから芸術が成立するんだって言いかたもできるわけで。極言すれば、歴史的な名作を鑑賞するっていうのは、天才の目を通した世界を見るってことなのかもしれない――」

気付けば、一同に変な目で見られていた。

しまった、あまりにもらしくないことを言って、唖然《あぜん》とさせてしまった――まあ、元がわたしの台詞《せりふ》じゃないんだから、らしくなくって当然なのだけれど。

それこそ、ベースがあり、ルーツがある。

特に変な目で見ていたのは、わたしの推理をてんから聞いてなかったと思われる咲口先輩だった——さすが、天敵の気配については敏感だ。

軌道修正しなければ。雑でもいいから。

「ともかく、作者としては絵の練習だかのつもりで、名画をそのまんま模写したつもりだったけれど、でも、できあがったものは結果としてまったく違ってしまったって仮説なのよ」

「……要は、作者はお前と似たような視力の持ち主で、モチーフを見るときに、うっかり、人間の姿を透視しちまったってことか?」

あ。

その言いかた、わかりやすい。

「すごい! さすがシンプルな思考回路!」

「人見知りだったお前が打ち解けてくれて、俺は心から嬉しいよ」

不良くんは肩を竦《すく》めて、しかし、「それはどうなんだろうな」と続ける。

「お前みたいな目の持ち主が、ごまんといるとは思えないってのがまずあるけれど……、実際は、透視したのは人間じゃなくって、カンバスに塗られた絵の具だろ? 仮に絵の具を透視できたとしても、そんときに見えるのは、真っ白なキャンバスなんじゃないのか?

モチーフとなった人間の背後に、きっちり背景が描かれているわけじゃねえだろ」

わたしが思うほど、不良くんの思考回路はシンプルじゃないようだった——実に的確な指摘である。

まあ、わたしだって、『作者には、名画がこういう風に見えたのだ』なんて、本気で言っているわけじゃあない——物の見えかたが、機能的にも精神的にも、人それぞれであることは事実であり、わたしが一番よく知っていることではあるけれども、しかし今披露した推理が、推理として現実路線であるとは思わない。

半分以上受け売りみたいなものだし。

ただ、この発想を聞いて、みんながどんな反応を示すのかは興味深いところだった。

「『モナリザ』が含まれていないことには、どう説明をつけるの？」

生足くんからの質問に、

「『モナリザ』は、人物像だけじゃなくって、背景まで透視してしまったんじゃないかな」

と、わたしは答えた。

これは仮説の拡大解釈と言うか、それでいいならなんでもありという気もするけれども、しかしながら、それで説明がついてしまうことも間違いない。

拡大解釈だろうと、推理は推理だ。

「ふうむ。推理と言うより、まるで犯罪者の詭弁《きべん》のようですね」

咲口先輩が、優しい声で手厳しいことを言った——声が美しいので誉められたのかと思ったけれど、どう拡大解釈しても、当てこすられている。咲口先輩自身どうしてそんな辛《しん》辣《らつ》な表現を選んだかわからないご様子だったが、わたしにはその理由の見当がつくので、大して気分を害さなかった。

犯罪者の詭弁。

そのものだものな。

「うむ！　初めての推理にしては、なかなか上出来なんじゃないかな、瞳島眉美くん！　たとえ詭弁だとしても、軽やかで美しい詭弁だったよ！」

誉めて伸ばすタイプのリーダーから、そんなお言葉を頂戴《ちょうだい》したところで、わたしのプレゼンは終了——続いていよいよ、お待ちかねの咲口先輩の番である。

と、わたしは思い込んでいたのだけれど。

「じゃあ次はソーサクの番だな！」

## 12　天才児くんの推理

え？　指輪くんも参加するの？

無口な彼はこういう会においてもあくまで聞き役に徹するものだと思っていたけれど、

ここでいきなり、雄弁に語り出したりするの？
にわかにわたしは期待したけれども、そういうわけではないらしかった――彼がここで
ぽつりと発したのは、
「絵は、これで全部じゃない」
という、わずかな言葉だった。
「最低でもあと、三十三枚ある」
「？　それって、どういう意味？」
わたしは反射的に聞き返したけれど、もうそのときには、元のだんまりの天才児くんに
戻っていた――それ以上の説明はないらしかった。
みんなには通じたのかと、不良くん、生足くん、咲口先輩の様子を順番に窺《うかが》ったけれ
ど、全員、わたしの頓狂《とんきょう》なプレゼンを聞いているときよりも、不思議そうな顔をしていた
――唯一双頭院くんだけが、
「なるほどな！　そういうことか！」
と膝《ひざ》を打っていたが、どれほど深く理解しているのかは、はなはだ疑わしかった。
ただ、リーダーを疑うのはよくない。
きっと、彼だけは天才児くんの推理を受け取ることができたのだろうと、わたしは、双
頭院くんに説明を求めた。

喋ってくれない天才児くんよりは、まだしも双頭院くんのほうが、意志疎通が可能だと思われる。

「おやおや、わからなかったかね？　瞳島眉美くん。ソーサクは、『絵は、これで全部じゃない』、『最低でもあと、三十三枚ある』と言ったのだよ」

「うんうん。それでそれで？」

「それで？　それだけだけど？」

それだけなんかい。

身を乗り出して損をした。

しかし、たとえ天才児くんの意見を仲介しただけであっても、リーダーの言葉の絶対性は失われないらしく、忠実なる咲口先輩は、

「なるほど、確かに、発見された絵が、フルコンプリートされた状態であるとは限らないですね。これ以上のごもっともはありません」

と言うのだった。

小学生に忠実過ぎる。

それとも、上の空ゆえだろうか。

「もしも、ソーサクくんの言うように、あと三十三枚もこのシリーズのカンバスがあるというのなら、その中にレオナルド・ダ・ヴィンチの『モナリザ』や、ムンクの『叫び』が

含まれているかもしれません」

「でも、天井裏にあったカンバスは、それで全部でしたよ？　小学生好き先輩……、じゃなくて、咲口先輩」

「そんな言い間違いがあるわけないでしょう」

身の入っていない今なら言えるかと思ったけれど、やはり、そこまでぼんやりしているわけではないらしい。

「ええ。しかし、隠し場所が美術室の天井裏だけとは限らないでしょう」

「ああ、確かに、そりゃそうか。そうなると瞳島には、校舎中の天井裏を這い回ってもらうことになるな……」

不良くんが口元に手を当てながら言う——いや、それ、真剣に考慮しているポーズじゃなくって、その手で笑ってる口元を隠してるだけだろ。

なにを提案してくれてるんだ。

リーダーが乗っちゃったら、やる羽目になるだろうが。

わたしは即座に、「隠し場所が天井裏とは限らないけれどね！」と注釈した。

「ほら、床下かもしれないし！」

「校舎の構造上、やることは大して変わんねーけどな」

そりゃそうだ。

「確かに、他にもカンバスがあるかもしれないっていうのは、わかるんだけど。でも、指輪くん、最低でも三十三枚っていう数字は、どこから出てきたの？　いやに具体的じゃない」

わかっていたことだけれど、ガン無視された。

めげずに繰り返しているうちに、だんだん指輪くんに無視されるのが楽しくなってきたけれど、わたしはおかしくなってしまったのだろうか。

さっきの、プレゼンとも言えないような呟きで、今回の彼の発言力は、使い尽くされてしまったのだろうか。

語《かた》り部《べ》として言わせてもらえれば、一冊につき二言しか喋らないという彼の縛りは、早いうちに破っておいたほうがいいと思うんだけど。

「三十三枚……最低でも三十三枚って言ったよね？　じゃあソーサク、最高だったら何枚なの？」

同級生である生足くんからの質問にも、天才児くんは答えなかったけれど、しかし、無表情にしか見えない彼は、無言のうちに何らかの反応をしたようで、それを受けたリーダーが、

「ソーサクは、『上限は見当もつかない』と言っている」

と代弁した。

「百枚かもしれないし、千枚かもしれないと」

千枚！

大袈裟どころか、冗談で言っているとしか思えない数字だが、しかし、天才児くんはにこりともしない――あくまでも真剣な推理らしい。

「なんか……、結論だけを聞かされてる感じだけどよ。何か、根拠はあるのか？　発見されたカンバスだけですべてじゃないって思うのには」

「否。ソーサクは、証拠があってそう言っているわけではないらしい。美術のソーサクとしての直感による推理だそうだ――だから、今言えるのは、ここまでのようだな」

そう言って、双頭院くんは天才児くんを不良くんの質問の嵐からガードする。

そうなってくると、通訳とかじゃなくって、いよいよリーダーが、芸術家のスポークスマンみたいになってくるんだけれど。

どんなリーダーだ。

『見たものをただ描いただけ』というのが、わたしがプレゼンした推理だったけれど、それにのっとって言えば、指輪くんは『思いついたことをただ言っただけ』なのかもしれない――芸術家らしく。

正直に言えば、もうちょっとまとめてから、論理立てて言ってくれたら助かったんだけれど……、まあ、それができないから彼は芸術家なのかもしれない。

再点検してみると、天才児くんの推理は、双頭院くんが提案した謎——『モナリザ』が含まれていないという点の説明はつつがなくついたけれども、誰もが思う謎のほうについては、何も説明できていない。

すなわち、作者がどうしてこういった絵を描いたのかという謎は、完全に放置されたままだ。

その点を天才児くんがどう考えているのか、詳しく聞いてみたいところだけれど、まあ、無駄なことはするまい——下級生から無視されるといういけない遊びに、これ以上はまってしまうのはまずい。

なので切り替えて、今度こそ、咲口先輩の推理を聞こう——上の空のようでいながら、しっかりトリを攫《さら》っていくあたり、やはり演説の名手は持っている。

と、わたしあたりは思ったのだけれど、彼の浮かない顔は、どう見ても『満を持して』という感じではなかった。

「ええ。そうですね。私の番ですか。何から話せばよいものやら——そうですね。結論から申し上げますと、私は天井裏から発見された、これらのカンバスの作者を、特定することに成功しました」

もしも今、紅茶を飲みかけていたら、それがたとえ私向けに味を調整されたそれであっても、吹き出してしまっただろう——それくらいの爆弾発言だった。

作者を特定？

え、それって、謎が解けたと同義なんじゃ？

あっさり言ってくれてるけれど、Q.E.D.では？

しかし、それにしては、咲口先輩の表情は、浮かないまま憂《うれ》いを帯びていて、とても真相を解明した名探偵といった風情《ふぜい》ではなかった。

「作者の名前は永久井《とわい》こわ子《こ》。かつてこの学校に勤務していた、美術教師です」

## 13 永久井こわ子

美術教師。

それは盲点のようでもあり、しかし、言われてみれば、見え見えの解答でもあった――昨日のうちに、『生徒作品なんじゃないか』という仮説の次に、思いついておくべきだった。

美術室の天井裏に隠されていたカンバスの作者なんだから、美術室の関係者がそうであると想定するのは、本来、当たり前のことである。

ならば、咲口先輩がそうしたように、学校側にアプローチすれば、その正体が割れるのもまた、当たり前のことだった。

だとすれば、ここまで繰り広げてきた舌戦と言うか、ブレストというのは、なんだったんだろう……、黒後家蜘蛛《くろごけぐも》の会もどきの言い合いが、むなしくなる。

そう言えばかの組織は、少年探偵団ではないにしても、女子禁制のクラブだったっけ、とわたしは関係あるようで関係のないことを思いつつ、そうか、だから咲口先輩は、ずっと憂鬱《ゆううつ》そうな様子だったんだと、得心した。

極論すれば、荒唐無稽《こうとうむけい》であれば荒唐無稽であるほど評価される、真実味よりも美味が優先される推理合戦の場において、リアリスティックにも程がある、解答そのものに至ってしまったというのでは、さぞかし挨拶に困っただろう。

メンバー全員の推理を、ここまでどんな気持ちで聞いていたのかと思うと、その心中は察してあまりある——上の空にもなるわけだ。

と、そう思ったわたしだったけれど、生徒会長が抱いていたのは、そういう気後れでもなかったらしく、美声でもって『解答』を言ったからと言って、それで楽になった感じはまったくない。

どうしてだろう？

「そりゃあ、瞳島。作者が判明したからって言って、その作者がどういうつもりであれらの絵を描いたのかがわかったわけでもないだろう——作者を突き止めただけじゃ、まだそれは答になってねえんだよ」

「そうだけど、でも、そんなの、職員室に行って話を聞けば――」

違う。

咲口先輩は、『かつて』と言った。

永久井こわ子は、かつてこの学校に勤務していた、美術教師なのだ――その言いかたからして、現役で勤めているはずがない。

何度も言ってきた。

指輪学園からは、芸術系の授業はとっくに排除されたのである――だからこの美術室は空き教室になっていて、だから美少年探偵団なんていう、変な奴らに占拠されているのだ。

「ねーねー。『かつて』って言うのは、どれくらい『かつて』?」

生足くんからの問いに、咲口先輩は端的に、「七年前です」と答えた――考えごとをしながら答えているという風だ。

これから更に発表すべきことを、つまり『本題』を、どのようにプレゼンすべきかのほうに、気を取られているかのように見える。

「七年前か。ナガヒロの婚約者が、まだこの世に生を受けていない頃だね」

「その通りですが、ここでそのコメントは必要でしたか?」

考えごとをしつつも、そこはきちんと突っ込むらしい――て言うか、咲口先輩のフィアンセちゃん、七歳にもなってないの？

たちどころに、そちらの問題にこそ取り組みたくなってくるが……。

「ボクはもちろん、最上級生のナガヒロだって、面識のない先生が作者だったってわけだ――じゃあ、それを聞いても、特に感想はないよねえ。どんな人か、まったくわからないわけだし」

どんな人かと言えば、名画から人間を取り除くような人だ――これだけの作品を仕上げているのだから、美術教師としての、それに画家としての腕は確かなのだろうが、変人であることは間違いない。

しかし、それはそれとして、もちろん二年生のわたしでも知らない先生だ――七歳ではないにしても、初等部五年生の双頭院くんは言うに及ばず。

「なるほど！　つまり、今から七年前、この学園から美術の課程がなくなるときに、その永久井先生もクビになったというわけだね！」

双頭院くんが元気よく言った。

言っている洞察は珍しく正しいのだけれど、なるべくなら、大人が勤め先から馘首《かくしゅ》された話を、そんなに元気よく言うものではない。

「クビになる際に、カンバスを天井裏に詰めて行ったのかしら？」

わたしも洞察しつつ、天井の穴を見る。

あんなところの板が外れるようになっているなんて、天井絵でも描こうとしない限り気付きようがなさそうだけれど、しかし、美術室の主とも言える美術教師なら、把握していてもおかしくない――あるいは、永久井先生自身が、あの扉を取り付けたという考えかたもできる。

学校を去るに当たって、大量のカンバスを処分するのに困って、見えないところにこっそり置いていった――分別ある大人の行動としては今いち誉められたものではないけれど、しかしありそうと言えばありそうな話か。

クビになった意趣返しとして見れば、もっとありそうだ――美しい解答とは、とても言えないけれども。

「でも、咲口先輩。昔、そういう名前の先生が勤めていたことは、調べたらすぐわかるとして、どうしてその先生が作者だってわかったんです？　美術室の天井裏にしまわれていた以上、美術教師が怪しいっていうのはその通りですけれど、それだって証拠があるわけじゃないんですよね？」

三十三枚のカンバスには、サインが入っていないという事実は、揺るぎないのだ――イニシャルさえない。

永久井先生があれらを描いたとは、彼女が美術教師だったというだけでは、まだ断定できない。

「ええ。状況証拠さえありません――あるのは伝聞証拠だけですね」

「伝聞証拠」

「それとなく、生徒会でお世話になっている先生方にリサーチしてみた結果ということなのですが――」

なんだろう。

美声のナガヒロにしては、えらく茫洋《ぼうよう》とした返事だ。

いや、咲口先輩の返事が茫洋としているのではなく、『先生方』の返事が茫洋としていたのだろうか？

無理からぬ、なにせ七年も前の話だ。

しかし、そんな茫洋な伝聞証拠から、どうして咲口先輩は、作者と特定したと言えるのだろうか――それとも、永久井先生は、職員室では七年間にわたり、語り継がれるような伝説の先生なのだろうか？

「ええ。まあ。有名人ではあったようです」

咲口先輩の言葉は、どこまでも伝聞的で、はっきりしない――声ははっきりはきはきしているのに。でも、永久井こわ子という特徴的な名前には、わたしも聞き覚えがあるような気がした。

わたしが入学した頃には、とっくに学園からいなくなっていたはずの先生だから、聞き覚えがあるとすれば、学外でのことだろうか——教師としての彼女ではなく、画家としての彼女を知っているのかな？

「いや、そうじゃねえよ。瞳島。これこそ、聞き覚えじゃなくて、見覚えだろ——俺も永久井って名前はどこかで知ってるような気がするって思ってたんだけど、あれだ、学校の中だ」

学外じゃねえ、と不良くん。

「ほら、講堂にどでけえ絵が飾ってあんだろ。あの絵の作者が、そう言えば、永久井こわ子じゃなかったっけ？」

言われて、すぐに思い出す。

始業式や終業式、毎週月曜日の朝礼、あるいは生徒総会……、入学式や卒業式など、とにかく学園の行事がおこなわれる指輪学園自慢のファシリティである講堂。

その壁面には、確かに巨大な絵画が展示されていた。

はっきりとは覚えていないけれども、その絵画の真下に、作品名と作者名を記載したプレートがあったはずだ——不良くんの記憶を信じるならば、そこに『永久井こわ子』と書かれていたのか？

「でも意外だわ。不良くんが、まさか講堂の存在を知っていたなんて……」

「瞳島。紅茶をもう一杯どうだ？」

不良くんがわたしを毒殺せんともくろんだところで、咲口先輩が、「ふむ。講堂ですか」と頷いて、ソファから立ち上がった。

「あの作品は、永久井先生が学園に勤めていた頃に描かれた絵画らしいのですが――そうですね。では、この続きは、その絵の前で話すとしましょうか」

# 14　講堂の中の講堂

「ああ、あれって絵だったんだ。ボクはてっきり、壁紙だとばかり思っていたよ」

という生足くんの言葉が、その絵のサイズを如実に言い表していると言っていいだろう――素人《しろうと》が迂闊《うかつ》なことを言うべきじゃないだろうけれど、千号とか二千号とか、それくらいのサイズなんじゃないだろうか？

存在感があり過ぎて、逆に、景色に溶け込んでしまっている。

実際、わたしはこれまで講堂で行事がおこなわれるときに、その絵のことを、特に意識することはなかった。

絵だなー、と思う程度だ。

しかし、どうだろう、実際に向き合ってみると、サイズのことはさておいても、なんだか変な絵だった。

三十三枚のカンバスを見たときに感じた違和感——欠落感とは違う、もっと具体的に言える『変な絵』である。

絵の真下に——目立たない位置に——あるプレートには、確かに作者名として『永久井こわ子』の名前があって、その上に記されているタイトルが、絵の奇妙さを、見事に表現していた。

『講堂の中の講堂』。

タイトル通り、講堂を——この講堂を描いた絵なのだ。

外側ではなく、わたし達がやってきた、講堂の内側の絵——なんだか、マトリョーシカ的と言うか、合わせ鏡っぽいと言うか。

もちろん、絵の中の講堂にも、巨大なサイズの絵画が掛けられていて、その中でも講堂が描かれている——さすがにその中の中までは、はっきりとは描かれていないけれど、無限ループだ。

「講堂の中の講堂の中の講堂の中の講堂の中の講堂の中の講堂の中の講堂の中の講堂の中の……」

双頭院くんが大きな絵を見上げるようにしながら、そんな風に呟く——素直に楽しんでいるようだ。

まあ、わたし達在校生にとっては見慣れ過ぎた絵でも、初等部の双頭院くんにとってはこれが初見だろうから、新鮮な気持ちで見られるのかもしれない。

この絵を描いたのが、永久井先生。

縦と横の違いはあれど、スケール的には、天才児くんがこのたび描こうとしていた天井絵と、同じくらいの大きさなんじゃないだろうか——その点、天才児くんの感想を聞いてみたいところだけれど、リーダーの隣で同じように絵を見上げる彼の表情からは、どんな感情もうかがいしれなかった。

「でか過ぎて、うまいとか上手だとか以前に、すげえって感情が先立っちまうよな」

これは不良くんの感想。

今見て思った感想と言うわけではなく、前々からそんな風に評価していたということだろう——もちろん、これだけのサイズの絵を描けるというだけで、技術の裏打ちはあると見て、まず間違いはない。

ただ、天井裏から発見された三十三枚のカンバスと違って、ベースとなる有名作品があるはずのない一枚だ(一枚である——たとえどれだけ巨大であろうと)。

歴史に名を残すような偉大な画家が、かつて指輪学園を来訪して、この講堂を描いたなんてことがあるはずがないのだから——指輪学園の歴史はそこまで古くないし、そうでなくとも、この巨大絵を見て、ああ、この筆遣いはあの三十三枚に共通する物があるとは、とても思えない。

「そう言えば、双頭院くん、三十三枚のカンバスのタッチには、共通する癖があるって言ってたけれど、どう？　この『講堂の中の講堂』にも、同じ癖はある？」

「え？　僕がそんなこと言ったかね？　いつ？　どこで？　地球が何周回ったとき？」

きょとんとされた。

あらら、わたしの勘違いだっけと思わされるきょとんっぷりだが、言ったよ。その評価を基準のひとつとして、わたし達は推理を組み立てたんじゃないか。

前提をひっくり返すな。

こうなると、咲口先輩に頼るしかない。

我らが生徒会長、咲口長広。

その話が途中だったはずだ——どうして、永久井先生が三十三枚のカンバスの作者だと、断定することができたのだ？

「断定まではできません。あくまでも、伝聞証拠に基づき、十中八九そうだと推定できるというだけです」

「勿体《もったい》ぶるなよ、ナガヒロ。推定って。さっきは特定したって言ってたじゃん。何を迷っているのかしらないけれど、そんなにだらだら話していたら、いつかはナガヒロの婚約者だって年齢を重ねちゃうんだぜ」

「ヒョータくん、茶化《ちゃか》さないでください。そして、親が勝手に決めた私の婚約者が、年齢を重ねるというのならば、そんなに喜ばしいことはありません」

喜ばしいんだ。

しかし、生足くんからのそんな催促に、咲口先輩も覚悟が決まったらしく、

「東西東西」

と切り出した——いい声で。

## 15　七年前の犯行予告

「東西東西。

「どうも口が重くなってしまって申し訳ありません。私の唯一の取り柄であるお喋りでこんな様《ざま》では、副団長として申し訳が立ちませんね。

「いえ、ヒョータくん。小学生の婚約者がいることは、私の第二の取り柄ではありません。ようやく話す決意をしたというのですから、口を挟まないでください。

「ええ、実際のところ、このままその件は、私の胸のうちに、そっと納めておこうかと迷いもしたのです。

「指輪学園の生徒会長として、学園の恥部を掘り起こすような真似をすべきなのかどうかは、逡巡《しゅんじゅん》せざるを得ませんからね。

「しかし、ことの発端が生徒会長としての咲口長広ではなく、美少年探偵団副団長の咲口長広、美声のナガヒロとしてかかわった天井絵の制作である以上、貝のように口を閉ざすというわけにはいかないでしょう。

「粛々と調査の結果を報告させていただきます。

「もっとも、リサーチした先生方は、私以上に口が重かったことも確かです——もしも私が編集しようとせずに、先生方の仰《おっしゃ》っていたことをそのままお伝えしたなら、皆さんきっと、さぞかしもどかしい思いをすることになるでしょう。ヒョータくんなんて、飽きて帰ってしまうかもしれませんね。

「というのは、問題の美術教師、永久井こわ子は、有名人である以上に、どうも、人の口を重くさせるに足る人材だったようでして。

「七年前に辞職しているにもかかわらず、未だに職員室で語り継がれているのは、彼女が『伝説の先生』だからなのですが、その伝説は決して、好印象なものではないようなのです。

「先生がたも大人ですし、昔のことですから、悪《あ》し様《ざま》に罵《ののし》ったり、露骨に悪口を言ったりはしませんでしたけれど——『口が重かった』ですね——、それでも隠しきれないほど、永久井先生は、かなりの変わり者だったようです。

「変わり者。

「変人と言ったほうがいいでしょうか。

「芸術家として見るなら、それでしかるべきなのかもしれませんが、ともかく、問題の美術教師は、略して問題教師でもあったようです。

「彼女が辞職したのは……、言葉を選ばず露骨に言えば、クビになったのは、もちろん、指輪学園の課程から芸術系の授業が削られたからなのですが、しかしそれは口実だったという側面もあるのでしょうね。

「『普段のおこないがたたって』というのは、教師が身をもって与えてくれる教訓としては、あまりに皮肉というものですけれど。

「奇行の一例を取り上げるなら。

「たとえば、学園側に無許可で写生大会を開催し、生徒達をひとクラス、まとめて海外へ連れて行ったとか。

「校舎を勝手に改造して、あちこちに意味のない扉を取りつけたり、逆に教室から、扉や窓を取り除き、何の意味もない密室を作ってみたり、まっすぐな廊下を曲がりくねった迷路にしたり。

「自らヌードモデルをつとめたなんてのは、彼女が持つエピソードとしては、かなり可愛《かわい》らしいほうですね。

「ヌードモデルという言葉にだけ反応しないでください、ヒョータくん。そんなきみを落ち着かせるために言うなら、女子に水泳部男子の水着姿を描かせたという逸話もありますよ。

「芸術と裸が切っても切り離せないものだと、彼女はどうやら理解していたようですね――だからと言って、やり過ぎであることは間違いありませんが。

「今ではもちろん、七年前だって、あるいは七十年前だって、コンプライアンスに反する行為です。

「普通に新聞沙汰になります。

「そこはうまく、学園側が隠蔽《いんぺい》したようですけれど、ともあれ永久井先生は、相当アナーキーなかただったようですね。

「たとえ七年前に美術の授業が削除されなかったとしても、いずれは辞職勧告を受けていたであろう逸材だったと言えます。

「逮捕されていてもおかしくはなかった、反社会的人格――繰り返しになりますが、それでも芸術家としては、評価される先生ではあったようです。

「学校の先生であると同時に、画家としても、先生と呼ばれる立場の人物でした――元々、その実績を買われて、彼女は指輪学園に招聘《しょうへい》されたという経緯でしてね。

「声をかけた当のスカウトマンはそののち、ノイローゼになったというオチもついていますが――永久井こわ子は、現代アートの世界では、十代の頃から知られていた怪物的存在だったようです。

「赴任《ふにん》してまず最初にした仕事が、この巨大絵の制作だったそうですが——この作品を見ただけでも、永久井先生のただならなさは感じられるというものでしょう。

「赴任してから一ヵ月間、講堂を占拠して作成したというのですから、新人教師時代から、既に伝説だったようですね。

「いえ、私もこのたび調べるまでは存じ上げませんでした。現代アートの世界では有名人とは言いましても、なにせ、インタビューを受けられるタイプのアーティストではありませんからね。なので一般的な知名度とは無縁でしたが、知る人ぞ知る、美術界の新星だったとか。

「新星と言うか。

「彼女が私達と同じ年頃だったときには、ブラックホールなんて呼ばれていたようですが——いえ、違います、ミチルくん。

「そんな奇人変人だったから、永久井こわ子が、あの天井裏に隠されていた絵の作者に違いないと、決めつけているわけではありません——もちろん、何をしてもおかしくないかたではあったようですし、彼女が当時、あの美術室をいいようにしていたのは、事実のようですが。

「なんですか？　瞳島さん。

「『美術室をいいようにしていた』というくだりについて、何か言いたいことがあるようですが……、まあ、いいでしょう。

「少なくとも、天井に扉を取り付けて、天井裏への出入りを可能にするというような改築行為は、いかにも彼女のやりそうなことです。

「ただ、永久井先生に、たとえばヒョータくんや瞳島さんがおっしゃっていたような傾向があったかと言えば、そんなことはないようです。

「つまり、人間を描くのが苦手で、常に人間を描かなかったとか——名画を鑑賞するときに、人間の姿を透視していたとか、そういうことはなかったようです。

「どんな絵でも、自在に描いていたようですよ。

「鑑賞眼のほうも確かだったようです。

「ええ、ですから、教師としてはともかく、芸術家としては一流の人材だったのですよ

——人には向き不向きがあるわけです。

「なので、現時点で出揃っている推理を評価するなら、ミチルくんの推理が一番、真実味がありそうだということになるでしょうね。

「……瞳島さん、いくらなんでもそんな顔をすることないでしょう。どれだけ普段からミチルくんのことを見下して生きているんですか。

「もちろん、それも、永久井先生が絵の作者であると仮定すればの話ですが——どうして

私がそう仮定したかを、これから説明します。

「それは、今から七年前。

「芸術系の授業……、美術の授業がなくなるまさにそのときにあった、ひと騒動なのです。

「まあ、時代の趨勢《すうせい》といいますか、その削減自体をどう評価するかは、この際おいておきましょう。

「当時の学園の方針であり、決定事項でしたからね——そのときに美術の授業がなくなっていなければ、現在、私達が美術室を、こうして事務所代わりにすることもできていないわけですし、迂闊なことは言えません。

「ただし。

「永久井先生は、大反対したようです。

「意外ですか？　ええ、当時の学園側も、意外だったようですよ——聞く限り、教師としての自覚なんて、かけらも持っていないようなかただったそうなので。

「芸術家として一定の評価を……、少なくとも、芸術の世界でマニアックな高評価を十分に受けているかただったので、学園をクビにされたからと言って抵抗を示すなんて、誰も予想だにしていなかったのです。

「まあ、当然ながら、勝手と言えば、勝手な話なのですがね——教師として招いておきながら、学園側の都合で、お払い箱にしようというのですから。普通なら怒りますよ。

「ただ、永久井先生は普通ではありませんでしたから。

「芸術活動とはおよそ無縁な教師生活を終えるには、いい機会だったはずなのですが――のみならず、彼女はそんな当たり前の理由で、抵抗したのではなく。

「子供達には美術が必要なのだと。

「強硬に主張したそうです。

「……どこまで本気だったのかは、きわめて疑わしいそうですけれどね。普段のおこないが悪過ぎて、言うことがまったく信用されなかったそうです。

「ミチルくん、肝に銘《めい》じておいてくださいね。普段のおこないは、いざというとき物を言いますよ。

「口さがないかたは、退職金の増額をもくろんでいたんじゃないかと噂していたそうですが……、とかく、芸術にはお金がかかりますからね。

「ただ、増額をもくろむまでもなく、最初から莫大《ばくだい》な退職金を提示されていたそうなのですけれど、しかし彼女はまったく、そんなものには目もくれなかったそうです。

「なだめてもすかしても、永久井先生は一歩も引かず、たったひとりで抵抗運動を続けて――しまいには、脅迫的なことまで言ったそうです。

「脅迫的。

「と言うより、脅迫そのものでしょうか。『美術を教えないような学校に、子供達はいるべきじゃあない』――『だから、その決定事項とやらをあくまでも実行するのであれば』。『私はこの学校の生徒、全員を誘拐する』。そう言ったそうです。否。犯行予告をしたそうです」

## 16　実行された大誘拐

「ぜ――全員を誘拐？」

わたしは咲口先輩の言葉を反復した。

反復すれば少しは理解できるかとも思ったからだけど、しかし、どうしたところで、完全に理解を超えていた。

七年前の当時だって、指輪学園はマンモス校だろう。

いや、現代日本の少子化を憂うならば、七年前なら、今よりも生徒数は多かったはずなのだ――その全員を誘拐するなんて、たとえ売り言葉に買い言葉だったとしても、大風呂《おおぶろ》敷《しき》もいいところだ。

「なんか、あれみてーだな。ほら、えーと、なんか笛吹いたりする奴」

不良くんが曖昧《あいまい》な知識を披露した。

くっ……、こんな無教養な奴の推理が今のところ最右翼だとは……。

そう言えば、咲口先輩は何気に、あれだけ誉めていたはずのリーダーの推理については評論していなかったけれど（出世するはずだよ）、永久井先生が作者なのだとすれば、当然、あれら三十三枚が、名画のルーツであるというようなことはないのだろう。

ちゃんと検討するのも馬鹿馬鹿しい仮説だが……、幸い、団長は、自分がそんな推理を披露したことまで含めて、気にしていないようだ。

どころか、かつてこの学園に存在していた変人教師に、興味津々のようである——見るからにうきうきしながら、部下の報告を受けている。

咲口先輩が語った彼女の奇行に、通じるものを感じているのかもしれない——美学を感じたのかもしれない。

まあ、当時学校にいなかった身で、他人事として聞いているからそんなことが言えるだけなんだろうけれど、『子供達には美術が必要』という彼女の主張自体は、美少年探偵団のメンバーとして、わたしも否定するわけにはいかないものだ。

……ちなみに、遅ればせながら解説すると、不良くんが披露した曖昧な知識は、たぶん、『ハーメルンの笛吹き男』のことだろう。

美術じゃなくて音楽に属する童話だけれど、しかしまあ、同じ芸術ではある——笛を吹くことで、町中の子供達を誘拐した男のお話だ。

実話を元にしている童話だなんて、聞いたことがあるけれど……、それと同じような『大誘拐』を、彼女は宣言したと言うのだろうか？

なるほど、アーティストだ。

まことにアーティストらしい大言壮語《たいげんそうご》——ただしまあ、それが抵抗運動の掉尾《ちょうび》を飾る捨《す》て台詞《ぜりふ》だったのだとすれば、やや、負け惜しみ感も否めない。

できっこない犯行予告。

脅しにもなっていない。

失笑を買っただけの結果に終わっただろう——そう思ったのだが、咲口先輩は、「それが」と首を振った。

「宣言を実行したのですよ。永久井先生は」

全校生徒を誘拐したんです。

重々しい口調で、そう言いながら、咲口先輩は——講堂の壁を向いた。

その壁には、巨大な絵画がかけられている。

『講堂の中の講堂』。

そんなタイトルの絵画が——作者名は永久井こわ子。

ん？　どうして今、この絵に焦点を当てる？

いや、そもそも、どうして咲口先輩は、永久井先生の話をするにあたって、この絵の前に移動したのだろう——彼女の奇行をこと細かに説明するだけなら、わざわざこうして場所を変えなくってもよかったのでは？

美少年探偵団は秘密裏に活動する組織なのだから（たぶん、秘密裏であることが美しいという美学があるのだろう）、美術室の外で目立つ行動をすることは、なるだけ避けているはずなのに。

今はこの通り無人の講堂だけれど、生徒会長と番長が共に行動しているのが目撃されたりしたら、明日の学校新聞のトップを飾ることになる——学校新聞があるのかどうかは知らないけれど。

わたしが今更のように抱いた疑問に即答するように、

「元々、この絵には」

と、咲口先輩は言った。

「生徒総会をおこなう指輪学園中等部の全校生徒が描かれていたそうなのです——しかし、今から七年前、描かれていた全校生徒がひとり残らず、作者の永久井先生によって、誘拐されてしまったという次第なのです」

描かれている無人の講堂。

下校直前の現状と同じく、無人の講堂。

確かにひとりも——残っていなかった。

## 17 大きな絵画の大きな誘拐

なるほど——それが伝聞証拠か。

つまり、七年前に学園を去った永久井先生には、そういう『前科』があったわけだ——絵画から人間を『誘拐』したという『前科』が。

もちろん、違いはある。

絵画のサイズの違いはもとより、その大誘拐に関して言うなら、過去の名画から人の姿を取り除いたのではなく、自作から人の姿を取り除いたのだし。

それに、誘拐という言いかただって、現実的にはあくまでも比喩的なものだ——永久井先生がやったことは、要するに、『講堂の中の講堂』を、全校生徒が生徒総会をしている一枚から、生徒が立ち去った、がらんとした一枚へと、掛け替えたということなのだろうから。

少し理解しがたいところもあるけれど、しかし、咲口先輩が語ったような一連の奇行とは違い、それは、強いメッセージ性のある行為なのだろう。

美術を粗雑に扱うような学校からは、生徒は立ち去るというようなメッセージなのか、それともまったく別の含意《がんい》があったのかは、定かではないけれど。

ともかく。

犯行予告を達成したわけだ。

「メッセージ性って言うか、犯罪性があるけどな。自分が描いたものとは言え、学校が所蔵する絵画を、無許可ですり替えたってんだから、昔の名画をちょこちょこ改変して模写するのとは、わけが違うだろ」

不良くんがそんなコメントをした。

さすが、悪事には詳しいね。

「つまり、それが直接の原因になって、その先生はクビになったってこと?」

生足くんの質問を、しかし咲口先輩は、「いえ、そうではありません」と否定した。

「と言うより、厳密には、そのすり替えが、永久井先生の手によるものだと証明されたわけではないのですよ。絵のすり替えが判明したときには、彼女は行方不明になっていましたから」

「行方不明?」

「ええ。すり替えられたこの絵の前に、叩《たた》きつけるように置かれていた辞表は受理されましたが……、退職金を受け取ることもなく、姿を完全に消したとのことです」

その後の所在も知れません。

と、首を振りながら咲口先輩は言った。

絵画の中の全校生徒を『行方不明』にしたあとは、作者本人も『行方不明』になった
——なんとも奇妙だ。

「教師を辞めて、芸術家としての活動まで辞めちまったってことか？」

「そうなりますね——表向きは活動停止ということになっていて、本人の失踪は、あまり知られていないようですが」

つまり、状況証拠の基である巨大絵画のすり替えにしたって、直接的な証拠があるわけではないということか——永久井先生は、本人の失踪をいいことに、罪をなすりつけられているのかもしれない。

ただ、そのときの状況を思えば、永久井先生の他に、犯人と思しき容疑者がいたとは考えにくい——たとえ犯行予告がなかったとしても、誰にとって、そんな絵画のすり替えが意味を持つかということだ。

「永久井先生にとっても、意味があるとは思えないけどねー」

と、生足くん。

「結局、そのすり替えで、美術の課程が学園に残ったわけでもないんでしょ？」

「そうですね。どころか、永久井先生の失踪をもって、完全に芸術系の授業はなくなりました」

咲口先輩がそう言うと、

「確かに無意味だ」

と、リーダーが頷く。

「だが、無意味だからこそ美しいとも言える——誰にも実害を与えることなく、迷惑をかけないままに、全校生徒を誘拐するなど、なかなかできることではあるまい」

やはり共感しているらしい。

それは単なる惻隠《そくいん》の情《じょう》ではなく、美学のマナブが美術教師に共感するというのは、理の当然でもあるのだろうが——いや、それを言うなら、より強く共感するのは、美学のマナブではなく。

美術のソーサクか？

そう思って、わたしは天才児くんのほうを見る。

ずっと静かで、咲口先輩の話している間中、気配を完全に消していたけれど——彼は何を思っているのだろう。

見ても、いつも通り無表情過ぎてわからなかった。

美少年探偵団のメンバーとしても、あるいはひとりの芸術家としても、感じるところがないはずがないんだけれど。

それに。

考えてみれば、彼は指輪学園の経営母体、指輪財団の後継者であるわけで——言ってしまうと、永久井先生をクビにした組織の跡取りなのだ。

責任を感じるべき立場ではもちろんないが、ある種の因縁《いんねん》のようなものは感じているのでは？

「しかしリーダー、実害や迷惑は、あったんじゃねえのか？　すり替えって言いかたをしているけれど、別の言いかたをすれば、絵画を盗んだわけだから」

不良くんが現実路線に沿ったことを言った。

まあ、それはそうか。

「七年前に失踪したのも、もしも学園に被害届を出されたら、クビどころか、逮捕されちまうかもしれないからじゃねえの？　話を聞いていると、その辺は内々に収めたみてーだけれど」

「内々に——そうですね。まあ、学園側も課程の変更を、かなり強引に押し進めたようですから、引け目もあったのでしょう。指輪学園に限らず、学校組織が閉鎖的なのは、いつの時代も同じですからね」

咲口先輩のその物言いは、天才児くんに配慮したものでもあっただろう——が、しかし、どれだけ閉鎖的な組織であろうと、そのスケールの盗難被害に遭《あ》えば、さすがに被害届を出しそうなものだけれど。

作者本人による犯行だから、罪には問えないと判断したのだろうか？

「もちろんそれもあるでしょうが——当時の指輪学園が、永久井先生の犯行に対して、被害届を出さなかった大きな理由は、その大誘拐が、不可能犯罪だったからですよ」

「不可能犯罪？　えっと……、いや、それは大袈裟じゃないですか？」

わたしはそう言わずにはいられなかった。

本当に全校生徒を誘拐したというのなら、そりゃあ不可能犯罪そのものだけれど、実際に永久井先生がやったことは、単に絵をすり替えただけなのだから——単に？

単に？

この絵を？

この——巨大な、千号二千号クラスの絵画を？

わたしはようやく、咲口先輩が、どうしてずっと憂鬱そうにしていたのかに思い至った——それは、リサーチをしていたら、学園の恥部を発見してしまったから、なんてことじゃあなかった。

謎を解明するはずだったのに、答どころか、新たなる謎を見つけてしまったからだったのだ——探偵行為とは真逆である。

だけど、わたしはそんな彼を、まるで追い詰めるかのように、

「咲口先輩」

と問わずにはいられなかった。

「講堂の入り口よりもずっと大きな絵を——永久井先生は、いったいどうやってすり替えたっていうんですか？」

## 18　ボトルシップ

たとえば、瓶《びん》の中にある帆船《はんせん》。

入り口よりも大きな帆船を、どうやって瓶の中に入れたのかを問うならば、それは、分解した状態で入れて、ピンセットを差し入れて、瓶の中で組み立てたのだと答えるしかないだろう——当然、永久井先生も、『講堂の中の講堂』を描くときには、そうしたに違いない。

材料をばらばらに持ち込んで、講堂の中で、カンバスを作るところから、巨大絵の制作は始まったはずだ——だが、それと同じ手は、すり替えにあたっては使えない。

たとえどんなアーティスティックなメッセージ性があったとしても、犯罪性を帯びたそのすり替え行為は、人目につくわけにはいかないのだから。

ばらばらにしたカンバスを運び込むわけにも、講堂の中で作業をするわけにもいかないだろうし——そんな巨大な絵を講堂の中で制作しているところを、学園側に発見されなかったはずもない。

それこそ、赴任直後に講堂を占拠したときも、完成させるまで一ヵ月かかったという途方もないサイズの絵だ——もしもすり替えをおこなおうとすれば、どこか別の場所で仕上げてから講堂に持ち込むしかないのだが、しかし、仕上げてしまえば、絵画は講堂の入り口の大きさを遥かに越えて、持ち込むことができなくなる。

不可能だ。

不可能犯罪だ。

変則的ではあるけれど、密室系の不可能犯罪——当時の指輪学園が、警察に通報するのをためらったとしても、わからなくもない。

「いや、でも、だからと言って、まさか本当に、絵の中から全校生徒を誘拐したってわけでもないだろ——」

不良くんはそう言ったけれど、ひょっとすると学園側は、その可能性を考えてしまっているのかもしれない。

だから。

それから七年の時を経《へ》た今でも、この絵はここに飾りっぱなしにしているのかもしれない——そうでもないと、そんな問題教師が描いた絵を、いつまでもそのまま、残しておきたくはないはずだ。

誘拐された絵の中の全校生徒に、帰る場所を残している——そんなセンチメンタリズムではなかったとしても、単に、『なんだか不気味』だから、処分できないというのは、確実にあるだろう。

無理からぬ。

わたしだって、不気味に感じる。

そんな絵を、入学以来一年半以上にわたって、ぼんやりと見続けていたなんて思うと、ぞっとする——いや、もちろん、絵の中から全校生徒が誘拐されたなんて荒唐無稽な話を、鵜呑《うの》みにするわけじゃないけれど。

ただし。

荒唐無稽な話を、鵜呑みにした人物はいた。

「美しい！」

と、双頭院くんは派手に拍手をし、その手をそのままさしのべて、咲口先輩に握手を求めた。

「素晴らしいじゃないか、ナガヒロ！　なるほど、勿体ぶるわけだな！　そんな美しい隠しだまを持っていたとは、お前を副団長に指名した僕の判断に間違いはなかったよ！　いやはや、そのまま団長の座を狙《ねら》っているとしか思えない鮮やかさだ！」

「は、はは、何を仰るのです、団長。私が団長の座を狙うなんて……、と、とんでもございません。ありえませんとも」

なぜ動揺している。

いや、しかし、それでもリーダーからお褒めの言葉をいただき、ようやく咲口先輩は、気が楽になったようだった。

双頭院くんにとっては、謎が増えたことは、むしろ喜ばしいことだったらしい――いや、仮にも『探偵』なのだから、謎が解けるに越したことはないはずだけれど、それでも増えた謎が美しければ、それ以上のことはないのだろう。

わたしに言わせれば、事態は混迷の一途を辿っているようにしか思えないけれど――咲口先輩が言った通り、発見されたカンバスの作者が問題教師・永久井こわ子だったのだとすれば、美少年探偵団のメンバーが提出した推理は、的外れなものばかりということになるのだから。

不良くんのアイディアにしたって、あくまでも現時点では一番マシというだけであって、当たっているという保証はない。

最低でもあと三十三枚カンバスがあるはずという、天才児くんの推測も（正確には、リーダーに代弁された推測だが）、永久井先生のエピソードから、それを裏付けるものはなかった（それについても言及してない辺り、咲口先輩の権力者に対する配慮の徹底ぶりが窺い知れる）。

「永久井先生に話を聞けたら、一番手っ取り早かったんだろうけどねー。行方不明じゃ、どうしようもないか。絵の中の登場人物と同様に行方不明……、そう言うと、なんだか意味深だけど」

生足くんも、アテのなさを所在なく感じているようだった——元々体育会系の彼は、美術は専門外だから（裸婦画はともかく）、これくらい込み入ってくると、手の出しようがなくなってくるのだろう。

不良くんは言うに及ばず。

しかし俄然張り切ったリーダーは、

「作者から答を直接聞くというのは、探偵のあるべき姿とは言えないな！　僕に言わせれば、犯人の自白は証拠にはならない！」

と、意気軒昂《いきけんこう》だ。

言ってることは無茶苦茶だけれど。

いや、でも、自白偏重の捜査をおこなう探偵よりは、いいと言うべきか——推理小説の中じゃあ当たり前におこなわれていることだけれど、あれってよく考えたら、結構怖いことやってるよね。

しかしまあ、リーダーはリーダーなので、「むろん、答え合わせならば、永久井女史のお話をうかがってみるのも、やぶさかではないがね」と、それなりに柔軟な歩み寄りも見せてくれた。

「ナガヒロ。当然、お前のことだから、まだ見つかっていないにしても、永久井女史の所在は調査中なのだろう？　いつまでに見つかる？」

「いつまでにと問われますと……、ええ、確かに継続調査中ではありますが、なにぶん、雲をつかむような話でして――生きているのか死んでいるのかさえもわからない状態です」

行方不明どころか、生死不明。

無理もない、七年前の失踪だ。

たとえ生きていたとしても、失踪届で死亡届が出せてしまうだけの年月が過ぎている――いくら絶大なる支持を受ける生徒会長でも、学外の行方不明者を探すのは容易ではなかろう。

と。

そこで無言の天才児くんが挙手をした。

挙手をしたからと言って、何を言うわけでもない――ただ手を挙げただけだったが、しかしこれは、わたしでも彼の意図するところはわかった。

調査を手伝うと申し出ているのだ。

指輪くんが——ひいては指輪財団が協力するとなれば、調査ははかどることこの上ないだろう。

推理合戦という形は崩れるけれども、しかしそれは、こうなるともう重要ではないようだった——むしろ永久井先生のいち早い発見こそを、誰もが望んでいる。

「ソーサクくんが力を貸してくれるのならば、明日の朝までには突き止められるでしょう」

気がかりが解決し、そして展望も見えたことで、自信を取り戻した咲口先輩が、持ち前の美声で頷いたのを受けて、

「うむ。では、明日の早朝、ここに集合だ」

と、リーダーは宣言した。

明日の放課後まで待てないらしい——そういうところはもろに小学生だ。

しかも彼はこう続ける。

「みんな、それまでに今度こそ、真相を突き止めておくように。宿題だぞ」

授業よりも宿題の多い探偵団だった。

ジグソーパズルの難易度を上げる方法は、実はピースの数を増やすことではない。ピースがどれだけ増えようが……、五百ピースになろうが千ピースになろうが一万ピースになろうが、基本的にやることは変わらないのだから、それは所詮《しょせん》は、『時間の問題』でしか

ないのだそうだ。宇宙飛行士（そう、わたしがつい最近まで目指していた職業である、あの宇宙飛行士だ）は、真っ白いパズルを組み立てることで、集中力や忍耐力を試されると言うけれど、それだって、『時間の問題』であることに変わりはない。

そうではなく、しかも誰にでもできる簡単なやりかたでパズルの難易度をあげようと思えば、ふたつのパズルのピースを混ぜてしまえばいいのだ。

同時に複数のパズルを作る。

これは時間がかかるなんてものじゃなく、やっていて、相当心が折れるらしい——似たようでありながら、まったく違うものが混ざってしまうことは、神経を削られる。

双頭院くんにそんなつもりはないにせよ、今回出された宿題には、そういう側面がたぶんにあった。

三十三枚のカンバスから人物がいなくなっているという問題と、学園講堂に飾られた巨大絵から全校生徒が誘拐されたという問題は、そっくり相似形のようでありながら、根本的にまったく性質の違う問題だ。

なまじ表層的に似ているから、嫌らしい。

一晩でこの両方に、適切な——適切な美しさ、という意味だ——解答を編み出すなんて、わたしの手には大いにあまる。そもそも、今日提出した案さえ、それがわたしの推理だと、胸を張って言えるものではなかったのだから。

ならば。

わたしは再び、『彼』から知恵を借りるべきなのだろうか。

## 19　密会

帰り道、昨日と同じくわたしを家まで送ってくれようとした不良くんと生足くんを、なんとか撒《ま》くことに成功した。

活動前ならばまだしも、まさか活動後の帰り道に逃亡を図《はか》るとは、さしもの彼らも予期していなかったようだ——ちょっとお手洗いにと単独行動を取り、おしとやかにも三階の窓から抜け出した。

立体的に逃げることが生足くんの脚力に対する有効な策だと、わたしなりに考えたのだ——それでも、追っ手がかからなかったのは、究極的には校門で待ち伏せすればいいという油断がふたりにあったからだと思われるが、塀を乗り越えるくらいのアクロバットは、わたしでもおこなう。

やった！

今度こそ自由だ！

お高くとまった美形達を出し抜いてやったぜ！

……喜びに目的を見失ってしまいそうだったけれど、しかし、一見意味のない、意地になっただけにも見えるこの逃亡には、なんときちんとした理由があった。

わたしは今日は、家に帰る前に寄るべき場所があって、そこに美少年探偵団のメンバーを連れていくわけにはいかなかったから、護衛を務めてくれる彼らの目を欺《あざむ》く必要があったのだ。

まあ、過去二回の逃亡未遂については、確たる理由のない、逃亡を目的とした逃亡だったけれども——わたしは三度目の試みにしてようやく成功した脱出劇に、軽くハイテンションだった。

カンバスから脱した登場人物たちも、このような心境だったのだろうか——いや、これはいささか空想的な物言いだが。少なくとも誘拐された全校生徒のほうは、こんな愉快な気持ちではいられまい。

というわけで、わたしが目指すのは、とあるバス停だった——指輪学園の最寄り駅というわけではない。

そこは指輪学園と、指輪学園と伝統的に対立する髪飾中学校の中間地点となるような位置にあるバス停である。

過去に両校間で揉《も》めごとが起こり過ぎたせいで、結果、今は中間地点ならぬ中立地点となり果てた停留所だ——学校にも停留所にも、歴史ありと言うのだろうか。

まあ、対立にもルールが必要。

戦争にもルールがあるみたいなものだと、そこは大人ぶって解釈しておくことにしよう——『少年』としてはあるまじきことだが、いずれにせよ、指輪学園の生徒と、髪飾中学校の生徒が、もしも待ち合わせをするのであれば、選ぶべき場所のひとつが、そのバス停のベンチというわけだ。

お互いにとってフェアな場所。

と言っても、わたしと『彼』は、決して待ち合わせをしているわけではない——どころか、『彼』は、

「僕は勝手に待っていますけれど、別に来なくてもいいですよ」

などと抜かしやがった。

別に来なくてもいいですよ。

ええい、なんと心得ている奴だ。

呼ばれてないときは行く癖に、呼ばれると行きたくなくなるこのわたしを、確実に招く方法を、どうして『彼』は知っているのだろう。

来なくていいと言われると、行きたくなる。

行かずにはいられない。

とにもかくにも、護衛を振りきって到着したバス停のベンチには、予告通り、『彼』

――札槻くんが座っていた。

札槻嘘。

頃日《けいじつ》、美少年探偵団が対決したばかりの、髪飾中学校の生徒会長である。

# 20 札槻嘘のこと

咲口長広という人物について語るとき、指輪学園の生徒会長とだけ語るのではまるっきり不十分であるように、札槻嘘という人物について語るとき、髪飾中学校の生徒会長とだけ語るのではまるっきり不十分である。

わたしとおない年であるはずの札槻くんは、生徒会長であると同時に商売マンであり、ビジネスパーソンであり、経営者であり、プロデューサーであり、プロモーターであり、投資家であり、支配人であり、イベンターであり、そして何より、遊び人だ。

ひょんなことからわたし達、美少年探偵団がかかわることになった、彼が学校の体育館で深夜経営していたカジノなど、彼が動かしているプロジェクトの中では、まだしも合法的なほうだっただろう。

本物の犯罪者集団とも強いパイプを持つ、圧倒的にずば抜けた危険人物だ――おとなしげで柔らかな物腰からは、そのリスクを計り知ることは難しいのだけれど。

たとえ探偵活動の一環でも、わたしのような小市民がかかわるべきではない相手であり、なので、今後一切かかわらないようにしようと心がけていたし、そのために咲口先輩はわたしに携帯電話を支給してくれたのだが、しかしながら、そんな防護壁は、遊び人の前ではないも同然だったらしい——ないも同然どころか、その携帯電話に着信があったわけだから、防犯ツールを犯罪者に有効活用されてしまった形だ。

してやられた。

どうして札槻くんが、美少年探偵団のメンバーしか知らないはずのわたしの携帯電話の番号を知っていたのかについては、深く考察したところで意味はないだろう——どんなルートを持っているのか、どんなツールを持っているのか、とにかく底知れない男の子なのだから。

それで中学二年生だというのだから恐れ入る。

とは言え、所詮は電話だ。

着信があろうと、すぐに通話終了してしまえば、それで本来ことは済んだはずだった——呼び出されようと呼び出されまいと、会いたいと言われようと言われまいと、そんなのは無視すればよかっただけのことだ。

直接アプローチせずに、そうして事前にアポを取ろうとしたということは、彼のほうも彼のほうで、美少年探偵団の面々を警戒していることは間違いないのだから、強い姿勢を持っていれば、何ら問題なかった。

「実はですね、瞳島さんに返して欲しいものがあるんですよ」

昨夜、彼はぬけぬけしくも、そんなことを言った。

「と言うより、瞳島さんが僕に、返したがっていたものですが——ほら、僕が落としたお金を、瞳島さんが拾ってくれたでしょう？」

何を言わんとしているかは、すぐにわかった。

いや、それは懸念として、わたしが抱いていたことでもある——詳述は省《はぶ》くが、彼が落とした百万円の札束《さつたば》をわたしが拾ったことが、探偵団と遊び人の戦いの端緒となったのだから。

その際、札槻くんがわたしに寄越した拾得物の一割——つまり十万円——を、こんなものは受け取れないと突っ返そうと、わたし達は深夜の髪飾中学校に、大胆不敵にも潜入したわけだが。

その後、展開が二転三転しているうちに、十万円のうち六万円を返すことには成功したのだけれど、あと四万円、どさくさの中で返すことができず、わたしの財布の中に残っていたのだった——それを返して欲しいと、札槻くんは言っているのだ。

今更。

「だってほら、あれって一応、犯罪の証拠品ですからね。カジノを閉じた以上は、回収しておきたいのですよ」

もっともらしい理由だが、もっともらし過ぎて、ただの口実めいていた——土台、彼がばら撒いた『犯罪の証拠品』を、一枚残らず回収することなんて、現実問題としてできっこないのだし、彼が築いているのは、その程度の証拠で揺らぐような経済基盤ではないだろう。

彼がわたしに会おうとするのには、きっと他に理由があるのだ——それが何かはわからなかったけれど、髪飾中学校の勢力拡大を目論む彼に、指輪学園の生徒として、軽々《けいけい》に応じるわけにはいかない。

いかないが、しかし、わたしは応じないわけにはいかなかった——いや、先述の通り、『来なくてもいいですよ』と言われたから、行きたくなってしまったというのは確かにあるのだけれど、わたしだって馬鹿じゃない（馬鹿じゃない）、それだけのことで、メンバーの護衛を振りきってまで、彼からの誘いに応じたというわけじゃない。

手元で浮いていた四万円の紙幣を持て余していたのも確かだけれど、そんなものは、その気になれば捨ててしまえばよかっただけであって——カジノが閉鎖された今、証拠品どころか、それらは何の用途も満たさない紙切れなのだから。

だけどわたしは、会わねばならなかった。

札槻嘘に会って、聞かなければならないことがあった——これもまた詳述は省くけれど、ことは、彼が運営するカジノでおこなっていた不正行為に関係する。

不正行為。

まあ、中学生が日本国内でカジノを運営すること自体が、かなり行き過ぎた不正行為なのだけれど、彼はそんな場で、更なる不正を働いていた。

不正を『遊んでいた』と言うべきかもしれないけれど——簡単に言えば、『見えない服』を着た従業員をホール内で暗躍させることで、カジノの収益を飛躍的にアップさせていたのだ。

客から巻き上げることが目的だったのではなく、『見えない服』の実験が目的だったらしいのだが——その存在をたまたま、わたしの視力が看破したというわけだ。

美少年探偵団のメンバー、美観のマユミの初陣である。

なんとも誇らしい。

いや、誇らしいと言うより気恥ずかしいといったほうが当時のわたしの心情をよりよく表してはいるのだけれど（男装どころかバニーガールの格好とかしてたし）——ただ、そんな事件から数日後、ふと、気付かずにはいられないことがあった。

あれ？　と。

確かにわたしには、美観のマユミとして、『よ過ぎる視力』がある——だから、天狗《てんぐ》の隠《かく》れ蓑《みの》さながらの『見えない服』を着ていた、札槻くんのアシスタントを目撃することができた。

ハンド・ジェスチャーで、札槻くんに対戦相手の手の内を伝える黒子《くろこ》の存在を見破った——それ自体は、うん、当たり前のことが当たり前に起きたとしか言いようのない出来事だ。

だけどどうだ？　札槻くんはいったいどうやって、アシスタントの動きを把握していたのだ？

『見えない服』を着ている黒子のサインだ。

どれだけ目を凝《こ》らしたところで、その姿が見えるはずがないのに——ならば、どれだけハンド・ジェスチャーを送られようと、そんなのはいっかな、伝わらないはずなのに。

おかしい。

矛盾している。

目を疑うとはこのことだ。

もしもあれが一冊のミステリー小説だったとするなら、推理作家のあってはならないようなボーンヘッドであると指摘せざるを得ない。『フランダースの犬』の主人公、少年ネロの行動原理に、おとなげのない突っ込みを入れている場合じゃあない——じゃあないが、しかしながら、ここでわたしが美少年探偵団の団員としてするべきは、天才児くんがしたような美しい解釈だろう。おとなげのない少年らしさの見せどころだ。

結果から判断するに、札槻くんが、『見えない服』を着て、不可視の存在となっていたアシスタントからのサインを受け取っていたことは間違いないのだから。どうあれ、彼には黒子が見えていたのだと解釈するしかない——ならば、ひとつの推理が成立する。

それがどれほどありえないように思えても、それが論理的にありえる唯一の解答であれば、真実なのだ——すなわち。

札槻嘘もまた。

わたしと同じ視力を持っているのではないか。

ならばわたしは——万難を排してでも、メンバーを振りきってでも、札槻くんに会わないわけにはいかなかった。

## 21　密会2

「いえ、僕の視力は極めて平凡なものですよ。左右ともに2・0ではありますが、物体を透視したり、見えないはずのものが見えたりはしません」

ご期待に添えず申しわけありません。

と、札槻くんは恭《うやうや》しく頭を下げた。

頭を下げてはいるが、しかし、半笑いだった。

わたしのこじつけめいた推理がおかしくてたまらないらしい——くうう、小馬鹿にされている。

美術室でもバス停でも小馬鹿にされようとは。

わたしの勘違い？

だけど、彼に『見えない服』を着た黒子が、見えていたことは確かなのだ。確かなのに。

「いえいえ、考えてもみてください。もしも僕にそんな特別な視力があるのなら、『見えない服』を着たアシスタントを、対戦相手の背後に控えさせる理由がないでしょう——覗《のぞ》きをおこなうまでもなく、相手の手札が透《す》けて見えるのですから」

「う……」

そりゃそうだ。

危ない危ない。

矛盾を糊塗《こと》しようとして、更なる矛盾を生むところだった。

「僕がおこなっていたのは、あくまでも透視ではなく通しですよ——あなたがたのように才能に基づくそれではなく、道具に頼ったずるっこいイカサマです」

そう言って、札槻くんが学生服のポケットから取り出したのは、コンタクトレンズのケースだった。

「『見えない服』が『見えるレンズ』ですよ。勝負中は、これを着用していたのですよ」

「ああ……、そういうこと」

拍子抜《ひょうしぬ》けするような解答だったが、しかし、合理的な解答でもあった——『見えない服』を、たとえどう実用化するにしても、使用する側にも把握できないのであれば、着ることもままならないのだから、『見えない』技術と同時に、『見える技術』も実験しようと言うのは、自然な開発の流れである。

ステルス技術の開発は、レーダー技術の開発と、なるほど表裏一体というわけだ。

リーダーはともかく、咲口先輩辺りにとっては自明の理だったのかもしれないが、ここはわたしの名誉のために、見落としていたことにしておいてもらおう——文字通り。

「もちろん、瞳島さんの視力には遠く及びませんがね」

謙遜《けんそん》気味にそう言う札槻くんには、確かに特殊な視力はなかったようだが、しかし、そんなコンタクトレンズを持ってきてくれたところを見ると、わたしが不用意にも呼び出しに応じた理由は、見抜かれていたらしい。

その洞察力があれば、確かに、特殊な視力なんて余計だろうな——と、わたしは落胆する。

落胆? ああ、そうだ、落胆だ。

いったいわたしは、何を期待していたというのだろう——わたしにしか見えない世界を、共有してくれる誰かの存在を、期待していたとでも言うんだろうか？

不良くんが言っていたように、わたしみたいな視力の持ち主がそうそういるわけないのはわかっていたのに――それでも、わたしが見たのと同じ星を。

見た誰かに、いて欲しかったのか。

「ご期待に添えず申しわけありません」

と、札槻くんは繰り返した。

今度は半笑いではなかった。

「いいのよ。元から、そんなに期待していたわけじゃないし……、疑問点が解決されただけで、十分だわ」

もっとも、そつのない彼の解答のすべてを、受け入れるというわけにもいかない。札槻くんの『不可視』に関しては、見逃せない謎が、他にもあるのだから――彼はすべてを明かしてくれたわけじゃない。

それでもいい。

この密会は、美少年探偵団のメンバーとしておこなったものではなく、瞳島眉美の、ソロ活動なのだから。

ソロ。

視界を誰とも共有できない、たったひとりの活動である。

「ところで、僕のアドバイスは役に立ちましたか？」

札槻くんが話題を変えた。

そういうところも如才《じょさい》ない。

さすがライバル同士と言うのか、咲口先輩の司会進行ぶりといい勝負だ。

「役に立った……とは言えないけれど、恥はかかずに済んだわ。ありがとう」

わたしはお礼を言うのが下手だった。

だけれど、感謝しているのも本当だ。

昨夜、電話で誘いを受けた際、わたしはそれとなく、そのとき抱えていた『宿題』について、札槻くんに相談を持ちかけたのだ。

『仮になんだけれど、たとえばもしも、万が一、あなたの学校の美術室の屋根裏に、これこれこういう絵が三十三枚あったとしたら、どんな理由が考えられる？』と、実に自然に、さりげなく。

そして得られたのが、わたしが発表会でプレゼンした通りの解釈だった——アドバイスをもらったと言うよりは、コーチしてもらったと言うような感じだった。

結局それは、正解ではなかったわけだけれど、発表することがないよりは、ぜんぜんマシだった。

「そうですか。残念至極。やはり僕には、探偵は不向きですね」

札槻くんは肩をすくめる。犯罪者然として。

あまり残念がっている風ではない。

と言うか、今から思えば、電話越しに『視力』に絡めたあんな推理を披露してくれたのは、こうしてわたしを呼び出すための伏線だったんじゃないかと、穿つこともできそうだ──『視力』についてあれこれ言及することで、札槻くんも特殊な視力の持ち主なんじゃないかと、わたしに思わせようとしたんじゃないか。

実に自然に、さりげなく。

さすがに邪推かもしれないけれど。

少なくともさっきの、二度目の謝罪は、本心だったんじゃないかと、わたしは思うから。

「しかし、昨夜聞いた愉快な話が、たった一日で、全校生徒の誘拐事件に発展するとは、驚きですね。指輪学園も波瀾万丈《はらんばんじょう》なようで、ご同慶の至りです」

「あ、いえいえ、もちろんそれも、『仮になんだけれど、たとえばもしも、万が一』の話よ？　永久井こわ子なんて先生は、実在しないわ」

わたしは取り繕《とつくろ》うように言う。

美少年探偵団には守秘義務はないけれど（依頼人のほうに守秘義務がある）、敵対する中学校の生徒会長に、ぽんぽん活動内容を言いふらすのは、あんまり誉められた行為ではないだろうし。

あわよくば、今日の宿題も手伝ってもらおうとか、企《たくら》んでない。

企んでいないけれど、今回は札槻くんからは、

「まあ、そうなると結局のところ、『大切なものは目には見えない』というのが答でしょうね――」

という、例によってサンテグジュペリを引用した回答しか得られなかった。

首尾よくこうして呼び出せた以上、相談に乗ってはくれないようだった――そのあたりは遊び人と言っても経営者である。

ビジネスライクだった。

大切なものは目には見えない、ねえ。

じゃあ、いろんなものが無駄に見えてしまうわたしには、大切なものが人よりも少なくなってしまうのだろうか――永久井先生は、どうだったのだろう?

彼女には何が見えていて。

彼女には何が見えなかったのだろう。

## 22 密会3

わたしの懸念（ここくらいは素直に願望と言うべきか。空《むな》しい願望だったが）が空振り

に終わったところで、ともあれ口実でしかない用事も済ませておこうと、わたしは儀式的に、封筒に入れた四枚の紙幣を、札槻くんに手渡した。

「ありがとうございます。可愛らしい封筒ですね」

女子力を誉められた。

如才ないな。

だけど男装している女子の女子力を誉めても、何も出ないぞ？

「これでお縄にならずにすみますよ。助かりました」

そんなことを言う。

どこまで本気なのかわからない。

常に本気のうちのリーダーとは大違いだ——これは、どちらがいいと言うことではないのだけれど。

なんにしても、これで、札槻くんが『見えない服』を目視できていた理由も判明し、当初の目的であった『落とし物の返還』も成功し、積み残していた前回の事件の残滓《ざんし》を、片づけることができた——『ぺてん師と空気男と美少年』事件に限って言えば、解決したと言っていいだろう。

ただし、それでもなお、積み残しがあることを考慮しないわけにはいかないが。

「……こうやって、配り歩いた全員から、わざわざ紙幣を回収しているの？　支配人自ら？」

「必ずしも、そういうわけではありませんよ。我が校にも誇るべき人材が、わんさかいますからね——みんなで一致団結して、悪事の隠蔽工作を図っていますよ」

顧客のアフターケアという奴ですね。

そんなことを言う札槻くん。

人材というのは、例のカジノで働いていたバニーちゃんを代表とする人材のことを指しているのだろう——軽口風ではあったけれど、彼が自分の学校の生徒達を誇っているのは、真実なのだ。

悪事の隠蔽工作というのはいただけないが。

一致団結してやるようなことか。

でもまあ、そんなことを指摘しても、糠《ぬか》に釘《くぎ》だ——美少年探偵団だって、合法的な法の執行機関というわけではない。

「ただし、瞳島さんからの回収は、僕が直々《じきじき》におこなうべきだと思いましてね」

「直々に……、どうして？」

「どうしてだと思います？」

質問を質問で返されるのは好きではなかったけれど（わたしはたいていのことは好きではない）、しかし、不思議と嫌な気はしなかった。

だからその逆質問に答えた。挑むように。

「口実だからでしょう？　わたしにはわたしで、札槻くんに会って確認したいことがあったように──」

視力。

同じ視界の持ち主かもしれないと期待して。

「──札槻くんには札槻くんで、わたしとこうして密会する目的が、別にあったってことなんじゃないの？　本題って言うか」

わたしの物言いに、札槻くんは目を細めて、

「外れです」

と言った。

あれ？

腹に一物あるもの同士の、お洒落なやりとりみたいな感じで返してしまったけれど、違うの？

じゃあ、札槻くんはただ、返していなかった紙幣を回収したかっただけなの？

「えっと……、本当に何の用もないの？」

「ありません」

「ぜんぜん？」

「ぜんぜん」

「ひとつも？」

「ひとつも」

札槻くんはにこにこしたまま言う。

ええー？

でも、だったらそれこそ、誇れる部下に任せておけばよかったんじゃないの？　わたしを男の子だと信じている、あのバニーちゃんとか……、いや、あの子が相手だったら、わたしはどんな言葉巧みに呼び出されていても、会っていなかったと思うけれど。

「あなたの相手をするのに限っては、僕が直々に出向いたのは、単に僕が瞳島さんに会いたかったからですよ。他に理由はありません」

ですから、紙幣を返して欲しいというのは、口実と言えば口実ですね――と、さらりと札槻くんは言った。

さらさら過ぎて、うっかり聞き流してしまった。

なんだって？　会いたかったから？

「……会いたかったのなら、前みたいに待ち伏せしたらよかったじゃない。こんな風に、待ち合わせしなくっても」

「待ち合わせをしたかったんですよ」

「………？」

よくわからない。

種類はまるっきり違うんだろうけれど、こういうところは、この遊び人も美少年探偵団のメンバーと似ているところがある――つかみどころのなさでは、札槻くんのほうがやや上か。

そんなわたしの混乱を見ていられなくなったのか、

「ま、僕のような投資家にとっては、こうして人と会うこと自体が、仕事みたいなものなのですよ」

と、わかりやすい言いかたをしてくれた。

なるほど、それならわかる。

何か目的や、具体的なプランがあるわけじゃなくとも、定期的に顔を見せて、顔をつないでおくというのは、きっとビジネスパーソンにとっては、将来へと繋がる種蒔《たねま》きなのだ。

「つまり、札槻くんはわたしの視力を買ってくれているってことなんだね？　だから、こうして会いに来てくれたわけだ」

「そう受け取ってもらってかまいませんよ。まさしく、投資家が透視者に会いに来ただけです――今のところはね」

含みのある言いかただ。

実験していただけあって、透視絡みのジョークのストックは多そうである。

「ですから、瞳島さん。僕の目的は既に完璧《かんぺき》に果たされたと言えます——これからもこうして、たびたび会ってもらえると嬉しいですね」

「いやあ……それはどうでしょうねえ……」

たじたじになりつつ、わたしは答える。

持て余していた紙幣は遅ればせながら返したし、札槻くんが通常の視力の持ち主であることもわかってしまったし、わたしとしては、もう札槻くんと会う理由があるわけじゃないのだ。

でも、だったらもっとはっきり拒絶してもいいはずなのに、「まあ、気が向いたら」などと、なぜかわたしは曖昧な物言いをしてしまうのだった。

そんな不誠実な態度に、札槻くんは気を悪くするんじゃないかと思ったけれど、

「それで構いませんよ」

と頷く。

「はっきり言えば、あなたは今日すら、ここに来るべきじゃあなかったのですから」

「…………」

なんだ？　ひょっとして、またわたしを引っかけようと、フェイントをかけているの

か？『来なくていい』と言えば来てしまうわたしに、同じ手がそう何度も通じると思っているのだろうか——

「思わなかったんですか？　美少年探偵団のメンバーの護衛を振りきって、対立している学校のトップに会いに来ることが、彼らに対する裏切りになるかもしれないと」

穏《おだ》やかではあったけれど、その懇々と語りかけるような札槻くんの口調は、マジ説教のようでもあった。

「あなたにとっては、気を遣わなくちゃならない仲間よりも、仲良くする必要のない敵のほうが話しやすいのかもしれませんがね。しかし、あなたを……、あなたの『視力』を狙う者は、僕達だけじゃあないのですから」

確かにその通りだった。

前半に対しても言葉はなかったし、後半に対してもまさしくだ——あの『トゥエンティーズ』だって、いつまた、わたしの前に現れるか、わかったものじゃないのだから。

それがわたしにとってはどんな切実な理由だったとしても、護衛を振りきるなんて真似は、するべきじゃなかった。

ただし。

反省するべきはきちんと反省するとして——それでも、札槻くんの勘違いを、わたしはひとつだけただされねばならなかった。

「彼らのことを、気を遣わなくちゃならない仲間だとは、わたしは思ってないよ。気を遣われることなんて、一番望まれてないもの。行きたいときは行くし、逃げたければ逃げるし。言いたいことを言うし、会いたい人に会うし——見えたものは見えたって言うし。あの子達の前では、わたしはそういうわたしでいいと思うの」

気を遣わなくていい仲間。

それ以上に、気を遣ってくれない仲間。

そういうのにずっと、わたしは憧《あこが》れていて——美少年探偵団は、そんな理想に、かなり近いグループなのだ。

「これは失礼しました」

言って、札槻くんはベンチから立ち上がった。

情緒的な反論を受けて、今度こそ怒ったのかなと思ったけれど、近づいてきたバスのヘッドライトを見て取って、立ち上がっただけのようだ——どうやら本当に、彼の目的は『わたしと会う』ことだけだったようで、あのバスに乗ってしまうつもりらしい。

今のところは。

わたしとの面会など、彼が日々、あちこちに張っている伏線の——四方八方に張り巡らせている策謀のひとつに過ぎない。

そう思うと、スケールが大き過ぎて、隣にいるのが恥ずかしくなる——会いに来るべき

じゃなかったというのは、そういう意味でもそうなのかもしれないとわたしが思っていると、

「気を遣わなくていい仲間が欲しいのだったら」

と、札槻くんが言った。

座ったままのわたしを見下ろすようにして。

「僕達だって、あなたの仲間になることはできますよ？　瞳島さん」

「え……」

「それこそ、気が向いたらいつでも我が校においでください。僕と、僕の誇らしい仲間達――『チンピラ別嬪隊《べっぴんたい》』は、いつでもあなたを歓迎しますよ」

僕ならば、美少年探偵団よりも遥かに、あなたを魅力的に使ってさしあげる自信はあります。

そう言い残して――札槻くんは、停車したバスに乗り込んだ。

## 23　忘れ物――帰宅

しばらくそのまま、わたしは呆然《ぼうぜん》としていたけれど、ふと我に返ったとき、ベンチの上にある札槻くんの忘れ物に気付いた。

コンタクトレンズのケースだ。

ただのコンタクトレンズではない、『見えない服』を見ることができるという、特殊なコンタクトレンズ――開発中かつ実験中の危険物だ。

こんなものを忘れていくなんて、あんなに格好よく去っておきながら、意外と札槻くんも抜けている――いや、違うな。

わざと忘れていったのか。

次にわたしと『待ち合わせ』をするときのための、口実と言うか、伏線と言うか――『人と会う』ことを主たる仕事とする札槻くんらしい『次の約束』だった。

またいつか、白々《しらじら》しくも『あのコンタクトレンズを返してもらえますか？　重要な機密ですから』などと、電話をかけてくるつもりなのだろう――つくづく如才ない。

それがわかっているなら、わたしもこの忘れ物に気付かなかった振りをして、このまま帰ってしまうのが適切な対応策という風にも思えるけれど、しかし、軍事利用さえ視野に入る、ひみつ道具ばりの科学アイテムを、バス停に放置して帰宅するほどの度胸は、小心者のわたしにはなかった――罠《わな》だとわかっていながらそれにかかるのも業腹《ごうはら》だったけれど、ここは策略にハマっておくしかなさそうだ。

仕方ない。

こんな堂々とした忘れ物なのに、札槻くんの去り際に気付かなかったわたしが悪い――

気付かせないために、札槻くんはわたしに、モーションをかけるみたいなことを言ったに違いない。

なんだっけ？　『チンピラ別嬪隊』？

それもまた、どこかで聞いたようなチーム名だが……、なんにしても、彼の忠告は、真《しん》摯《し》に受け止めておくべきだろう。

今回は顔見せだけだったようだけれど、次もそうとは限らないのだから――カジノ閉鎖の後始末を終えたら、多角経営を旨とする札槻くんは、指輪学園にどんなちょっかいをかけてくるつもりなのか、わかったものじゃないのだから。

わたしは『忘れ物』のコンタクトレンズをブレザーのポケットに入れて、席を立つ――路線がぜんぜん違うので、このバス停からは帰れない。

しかし、札槻くんと話しているうちに、とっぷりと日も暮れてしまった。男装しているとは言え、女子が帰宅するのには、普通に危ない夜道が形成されている。

わたしの視力の前では暗闇なんてほとんど意味をなさないのだけれど、しかし、暗闇に乗じて悪さをしようというようなならず者が、わたしの視力のことを知らないケースも想定できる。

というわけで、わたしは、

「隠れてるところ悪いんだけど、家まで送ってくださる？」

と言った——それに呼応するように、バス停の後ろの小藪《こやぶ》に身を潜めていた不良くんが、のっそりと登場する。

これ以上なく嫌そうな顔をしていた。

「なんだよ。透視して気付いてたのか？　眼鏡を外してた様子はなかったけど……」

「ううん。いてくれると思ってただけ」

視力じゃなくて勘だ。

強いて言えば、わたしが貸与されている子供ケータイは、迷子対策のＧＰＳ機能も搭載されているので、地球上のどこへ逃亡したところで、場所の特定は難しくないという前提もある。

それが嫌なら電源を切ればよかったのだが、わたしはそこまではしなかった——今更こんなことを言っても絶対に信じてもらえないだろうから言わないけれど、わたしは彼らから本気で逃げるつもりなんてない。

「生足くんは？」

「家のほうに行ってるよ。本当に何かあった可能性も考えてな」

「じゃあ、すぐに連絡してあげて？　きみの大切な仲間は無事だって」

「やかましいわ」

とは言え、背後で盗み聞きしていた後ろめたさもあるらしく、不良くんはわたしを責めるようなことは言わなかった。

その代わり、「今度死ぬほどうまいメシ食わしてやっから、覚悟しとけ」と言った。

つらい罰だなあ。

「で？　敵のボスとお前、何話してたんだ？　最後のほう、バスの車輪の音と混じって、よく聞こえなかったんだけど」

「内緒」

紳士な遊び人が、こんな夜道に女子を残して先に帰るとも思えないので、彼も彼で、近くにメンバーがいることはわかっていたんだろうな——だから音にまぎれさせたんだろうなと、そう理解しつつ、わたしは不良くんの隣に並ぶ。

札槻くんの隣にいることが、あれだけ気恥ずかしかったわたしだけれど、いつからか、スケールの大きさでは決して彼にひけを取らないはずのアウトローである不良くんの隣にいることに、すっかり気後れしなくなっている自分を、今更のように不思議に思いながら。

## 24　早朝集合

というわけで、やや物語の本筋を外れた形になるわたしの逃亡劇と密会は、こうしてまとまったと思われたのだけれど、わたしはこのあと、生足くんからかなり真剣に怒られることになった。

オチというにはあまりにも本気の説教過ぎて、ちょっと物語的にはいらない感じのオマケだった――天使のような外観の後輩から、しかも普段あんなに陽気でにへらにへらしていて、底抜けに明るいおちゃらけた後輩から、真面目に怒られるというのは、年次が上なだけの先輩としても、結構凹《へこ》むものがあった。

過去に三回誘拐された経験を持つ生足くんの真面目スイッチは、いったいどこで入るのかわからない。

ともかく、自宅の前で正座して、三時間くらい怒られ続けたわたしには、リーダーから出されていた宿題になんて取り組めるわけもなく、無為無策のまま、翌日、登校する羽目になった。

不良くんはつきあってられないとばかりにさっさと帰ってしまったし、体力のある生足くんは、どうやら徹夜が平気みたいだが、わたしは基本的に、夜は寝たい人間だった。後輩からあれだけ怒られて、ようやく解放されたと思ったらその翌朝も、宿題をやってこなかったという理由で怒られるのだと思うと、憂鬱なんてものじゃなかった。

やはり札槻くんからの呼び出しには、応じるべきではなかったのだろうか――まあ、昨夜の時点では、あの誘いを断るという選択肢は、事実上わたしにはあってないようなものだったけれど、だったらもっと積極的に圧をかけて、札槻くんからアドバイスをもらっておけばよかった。

どうせならって奴だ。

わたしごときが圧をかけても、軽くあしらわれてしまっただろうことは想像に難くないけれど……、それでもしつこく食らいついて、せめてヒントくらいもらえていれば、学校に向かう足取りも、こんなに重くならないのに。

いや、そう言えば、ヒントではないにしても、何か言ってくれてたっけ?

そうそう、『大切なものは目には見えない』だ——知らない人はいないであろう、『星の王子さま』の名言。

カジノでも言っていたけれど、ひょっとして札槻くんの座右の銘なのだろうか?

……まあいいや。

どうせメンバーに宿題を課したリーダーにしたって、新参者であるわたしごときの推理に、そこまでの期待をしているわけじゃあないだろうから。

「おお! 来たね来たね瞳島眉美くん! さあ早速きみの推理を聞かせてくれたまえ、どうやらきみは固定観念にとらわれた僕ら古参のメンバーとは、目のつけどころが違うようだからね! さあ、美少年探偵団に新しい風を存分に吹かせなさい!」

めっちゃ期待されていた。

わたしが到着したときには、壁にかかった巨大絵同様に無人の講堂に、既にフルメンバーが揃っていた——やってきたわたしを見る生足くんの目が、若干仲間を見る目じゃないんだけれど、ひょっとしてまだ怒ってるの？

わたしに推理する時間なんてなかったことを知っているはずの不良くんも、庇《かば》ってくれる気はなさそうだった——天才児くんは、わたしが来たことにさえ気付いていないかもしれない。

ねえ、ちょっとはわたしに興味持ってよ。

今死にそうな顔してるでしょ？

「では、リーダーたっての希望でもありますし、今日は瞳島さんからお願いしましょうか」

と、司会進行を務める咲口先輩。

秘密を抱えていた昨日とはうってかわって、滞りなく進行してくれる——くそう、さっさと楽になりやがって。

あるいは、わたしが札槻くんと密会していたことが伝わっていて、それで宿敵から知恵を借りたわたしに対して、このロリコンは嫌がらせをしているのかもしれない。

なんと陰湿な。

異性の好みだけじゃなく、人間まで小さいのか。

いざとなったら謝罪も辞さない覚悟だったけれど、しかし、こうなるとどうにかして彼らに一矢《いっし》を報いたくもなる。

「わかりました、それではご静聴ください。確たる証拠と論理的思考によって、わたしが到達した、七年前の誘拐事件の真相を——」

冷静ぶって言いながら、わたしは脳をフル回転させる——ぶっつけ本番で考えるようなことではないが、永久井先生はいったいどうやって、こんな巨大な絵を、人目につかないままにすり替えてみせたのだろう？

方法もさることながら……、どうして彼女がそんなことをしたのかも、てんでさっぱりわからない。美術の授業がなくなることに腹が立つのは、そりゃあ当然だろうけれど、それで絵をすり替えたから、どうなるというのだ？

それこそハーメルンの笛吹き男よろしく、実際に全校生徒を誘拐したというのならまだしも……。

「ん？　どうした、瞳島眉美くん。『真相を——』で演説が止まってしまったぞ？　はっはっは！　少年探偵どころか、その勿体ぶりかたは、既に名探偵の域だね！　さては小五郎の称号を狙っているのだな？」

狙ってないよ。

狙ってるとしたらそこのロリコンだよ。

「……瞳島。そういやお前、この巨大絵のほうは、まだご自慢の視力で見てないんじゃねえの？」

あたふたするわたしをさすがに見かねたのか、不良くんがそんな助け船を出してくれた──誉めてつかわす！

だが、屋根裏で見つかった三十三枚のカンバスと同じく、視力を保護するための眼鏡を外してみても、壁に掛けられた巨大絵がただ透けて、その後ろが見えるだけだった。

真っ白いカンバス、あるいは更にその後ろの、壁しか見えない。

その壁に、なんらかのメッセージが記されているということも、もちろんなかった──掛け値なく壁だけだ。

立ちはだかるのは壁だと言うのは、わたしの現在の心境をよく表しているともいえるけれど──美観のマユミのご自慢の視力、役に立たず。

まあ、前回が役に立ち過ぎたのだ。

十年間、わたしという人間を使い物にならなくしてくれた視力である──そういつもいつも、使いどころがあってたまるものか。

「おいおい、勿体ぶるにもほどがあるぞ、瞳島眉美くん！　美しい推理を独占しようという姿勢は、きみの美学に反しないのかね？」

ないんだって、わたしには美学とか。

これ以上凡人を追い込むな。

生足くんに自宅の前で三時間説教されようと、がんとして謝らなかったこのわたしが、ついに膝を折ろうとしたそのとき、

「早く教えてくれたまえ、瞳島眉美くん！　きみは札槻くんと一緒に、どんな推理を練り上げてきたのかね？」

と、リーダーはわたしを急《せ》かしたのだった——あれ、わたしの密会、リーダーにまで伝わってるの？

てっきり、伝わっていて咲口先輩のところまでだとばかり思っていたけれど……、いや、その当て推量は間違っていないのだろう、咲口先輩も、驚いたような顔をしている。となると、昨日、わたしが推理を開示した時点から、双頭院くんはそれを察していたということになる——彼がそう考えられる材料は、せいぜいあのプレゼンくらいしかないのだから。

「し、知ってたんですか？　リーダー」

副団長からの問いかけに、

「うん？　瞳島眉美くんが、かつて対立した敵と、美しい和睦《わぼく》を結んでいることをかね？」

と、逆に不思議そうに、団長は答える。

「別におかしくはあるまい。現にお前も知っているじゃないか、ナガヒロ」

違う。

彼は推理力ではなく、子供ケータイという首輪でわたしの動向を把握していたのだ——そして、そんなリーダーの言葉は、探偵活動においてライバルの手を借りたという後ろめたい気持ちを綺麗さっぱり払拭《ふっしょく》してくれて、それ以上に、わたしの背中を後押ししてくれた。

美しい和睦。

もちろん、そんなものじゃないけれど——わたしの勝手な振る舞いを、当の札槻くんでさえ窘《たしな》めたわたしの軽率な行為を、そんな風に曲解してくれる彼に、絶対に報いたいと思った。

い、い、い、そんなものじゃないから、こそ、い、い、い、い、い、い、い、い——美しいものにしなければならない。

ならばわたしがするべきは謝罪でもなければ、気遣いでもない。

推理だ。

リーダーの期待に応えるに足る、美少年探偵団のメンバーとしての推理でしかない。

美しくあること。

少年であること。

探偵であること。

そして——団《チーム》であること。

「あの……、誰か」

名探偵じみた勿体ぶった演説口調は引っ込めて、わたしはおずおずと挙手する。

「コンタクトレンズの入れかた、知ってる人、いる？」

## 25　重ねがけ

美少年探偵団のメンバーの中に、コンタクトレンズの装着者はいなかったけれど、しかし、今時はカラコンなどでメイクの技術の範囲内なのだろう、天才児くんが名乗りをあげてくれた——無言で。

無言で、わたしの存在を認めてくれた。

眼鏡で視力を保護しているわたしは、当然、コンタクトレンズを入れたことはなくって、勝手がわからないから助けを求めたのだけれど——いや、入れかたも何も、眼球に直接ひっつけるだけなので、これは人に入れられるほうが怖かったかもしれない。

天才児くんは初めて男装させられた際、ほぼ裸みたいな状態でいいようにされている相手なので、なんとか身を任せることができた感じだったが——もちろん、ここで装着したコンタクトレンズは、当たり前のコンタクトレンズではない。

このコンタクトレンズは、わたしが昨夜、美しい和睦を結んだ宿敵の忘れ物だった——装着者に、不可視の衣装を看破する『視力』を疑似的に付与する、軍事転用さえ可能な特別製のコンタクトレンズ。

決してアイディアがあったわけではない。

展望が見えていたり、結果がわかっていたということもない——もしもアイディアがあるとすれば、それは札槻くんにあるのだった。

わたしがたとえ話として持ちかけた『七年前の大誘拐』に、札槻くんはいっさいアドバイスをくれなかった。『わたしに会う』という、職務上の目的を果たした以上、一昨日の夜のようなサービスはないのだと思った。

だけど、もしも、くれていたのだとしたら？

それとなく。

あるいは露骨に。

美少年探偵団よりも有効に、わたしを使ってみせると大言壮語した髪飾中学校のトップが、道しるべを示してくれていたのだとしたら——それはどういう形を取る？

『忘れ物』という形を。

コンタクトレンズという形を、取らないとは限らないだろう——だからわたしは。

己の特殊な視力に、特別なコンタクトレンズを上乗せした上で、もう一度、無人の講堂を描いた巨大絵を見た。

そして。

わたしは真相を——見破った。

## 26 七年前の真相

真相を見破った。

ただし、勘違いもあった。

わたしは、自分の『よ過ぎる視力』に、札槻くんの『可視のコンタクトレンズ』を重ねがけすることで、美観のマユミとしての透視力のようなものを倍加させようと目論んだわけだが、現実は、そんな足し算のようなことにはならなかった。

札槻くんいわく、コンタクトレンズはわたしの視力には及ばないにせよ、『見えない服』が見えるくらいには視力を増加させる効果があるのは間違いないわけで——だから、わたしの視力が『10』で、コンタクトレンズが『5』だとしたら、合計で『15』の視界がえられると思ったのだ——その視力で巨大絵を見れば、見えるものもあるんじゃないかという試み。

しかし、『10』たす『5』は、『15』にはならなかった——考えてみれば当然だ、視力の矯正器具である通常の眼鏡だって、ふたつかけたりみっつかけたりすれば、よりよく見えるということにはならないだろう。

この場合は、わたしの『10』の視力は、コンタクトレンズの『5』に、むしろ減殺《げんさい》されて、結果、わたしは『5』の視力で、『講堂の中の講堂』に向き合うことになってしまった——なってしまったし、それでよかったのだ。

『よ過ぎる視力』が『丁度よい視力』になった。

わたしの目論見《もくろみ》ははずれたけれど。

札槻くんの目論見はあたったのだ。

「絵は——すり替えられてなんていいいいいいいいなかったんだ」

わたしは呟くように言った。

そう。

それが真実だった。

「？　どういうことだよ、瞳島？　すり替えられてなんていなかったって」

不審そうに問うてくる不良くんに、わたしは、「勘違いだったのよ」と答える——そうだ、それもまた、勘違いだ。

だけど、飾られていた絵画が、まったく別のものになっていたら、そりゃあすり替えられたと思うのが当然だ——わたしの浅はかな『重ねがけ』とは、わけが違う。

「おいおい。すり替えられてないっていうんなら、まさか本当に絵の中から、全校生徒が誘拐されたとでも言うのか？」

「そうじゃなくって」

うまい言葉を探したけれど、いくら頭を悩まそうと、わたしの貧弱な語彙《ごい》では、結局はそのまま説明するしかなかった。

美辞麗句を並べるよりも案外それこそが、芸術に対する一番誠実な態度なのかもしれない。

「上描きしてあるのよ、この絵」

「うわ——がき？」

生足くんがぽかんとする。

やった、わたしの逃亡に対するお怒りが、真相の衝撃にわずかにゆるんだ！

この機を逃してはなるまいと、生足くんになし崩し的に許してもらおうという誠実どころかやや不純な気持ちも含めつつ、わたしは畳みかける。

「つまり、巨大なカンバスは壁にかけたままで——『全校生徒が生徒総会をしている講堂』の絵を、『無人の講堂』に描き直したってこと」

わかってみれば、なんてことはない。

それ以外にないような解答だ。

カンバスを外に運び出したり、新しいカンバスを運び込んだりできない以上は、他に現実的な解決策なんてない。

だけど同時に、極めて突飛な発想でもあった。

わたしも、自分の目で見なければ、とても信じられなかっただろう――コンタクトレンズで『減殺』された視力で、『半分だけ』透かして見えた巨大絵の『地模様』に、整列して並んでいる『全校生徒』の姿を目撃しなければ、とても信じられなかっただろう。

真っ白いカンバスまででも、何にもないただの壁まででもなく。

上描きされた絵の具分だけの透視だったからこそ――下地が見えた。

カンバスを見通すことはできても、絵の具の薄皮一枚分でその『貫通』を止める加減は、わたしにはできない――そんな調整が可能なら、眼鏡はいらない。

このコンタクトレンズを忘れて帰って行った札槻くんには、きっと真相が見えていたのだろうけれど――否、見えていなかったのだろうけれど。

大切なものは目には見えない。

今回ばかりは、そういうことのようだった。

「はっ……なるほど。だとすりゃあ、いまいち確証がなかった『犯人が永久井こわ子』ってところが、確定するな。完成された絵画を『上描き』しようなんて罰当たりな発想をもてるのは、作者くらいのもんだろうよ」

不良くんが言った。

わたしもそう思う。

天才児くんも、それが『落穂拾い』であることを示すときに、直接カンバスに書き込むようなことはせず、スマートフォンでの撮影という手順を経た――画家ならば、他人の絵に直接、筆を入れるようなことはしない。

その大胆な犯行手段が、皮肉にも犯人を特定している――もちろん、一概には言えないだろうし、証拠があるわけじゃないけれど、これほどのクオリティの絵画を描く人物が、他人の絵を大切にしないとは、わたしにはとても考えにくい。

自分の絵でなければ。

下地にしようとは思わないだろう。

「上描き……、いや、確かにそれならば、講堂という密室への出入りや、新しいカンバスの制作過程、元のカンバスの処分などの問題は解決しますが、しかし瞳島さん」

慎重を期すように、咲口先輩。

真相はそれしかないと理解しつつ、しかし、見逃せない点をひとつひとつ潰していこうというつもりらしい。

「これだけ巨大な絵です。描き直すのだって、容易ではないでしょう――相当時間を要するはずです」

「はい。確か、元の絵を制作するのには、一ヵ月間かかったってことでしたよね。それだけの期間、講堂内という公の場で秘密裏に作業をすることは無理だと思います」

「だったら」

「でも、全体を描き直す必要はないんです。構図は同じですし、並んでいる生徒の部分だけを、上描きすればいいんですから、仕事量は、かなり少なくなります」

「それはそうでしょうが——しかし、少なくなったところで、ひとりでそれだけの作業をするとなると」

「ひ、と、り、じゃ、な、か、っ、たとしたら?」

ここから先は想像だ。

推理の域を出ないどころか、推理の域にも達していない想像だ——絵画が上塗りされているというのは、わたしがこの目で見た真相だけれど、七年前、何があったのかというのは、想像に任せるしかない。

できる限り美しく、想像するしかない。

「いわば、それこそが誘拐の動機だったんですよ。これだけの大規模な犯行を、大、勢でおこなうというのが」

「大勢でおこなうことが動機……? わかりませんね、瞳島さん。大勢というのは、誰のことなんですか？　永久井先生の、当時の芸術家仲間ですか？」

「いえ、当時の指輪学園の生徒です」

それしか考えられない。

もちろん、咲口先輩のいうように、彼女の芸術家仲間が手伝ったという可能性を消去することはできないのだけれど、それでもわたしには、そうとしか考えられない。

彼女が——永久井こわ子が。

教師として美術を教えた、生徒達。

課程から美術がなくなることを、彼女同様に嘆き悲しんだ——あるいは彼女よりも嘆き悲しんだ生徒達を募って、犯行に及んだのだとしたら。

「え？　でも、瞳島ちゃん、永久井先生は、問題教師だったんでしょ？」

「よく聞いてくれたわね、さすが、いい質問だわ。そしていい脚だわ」

謎を解きつつ生足くんに迎合するわたし。

我ながら、後輩のご機嫌を取ろうと必死である。

これ、謝ってるのとさして変わらないんじゃないだろうか？

「でも、問題教師だって言うのは、それはあくまでも学園側からの見方であって——エピソードを聞いている限り、彼女は授業を放棄したり、生徒をないがしろにしたり、していたわけじゃないでしょう？」

写生大会を勝手に開催したり、中学生にヌードを描かせたり、行き過ぎであることは間違いないにせよ——教師としては問題行為が多々あったかもしれないけれど、しかし、芸術家としては、彼女は生徒達の模範であり続けた。あるいは、だからこその問題教師だった。

だったら。

そんな彼女を支持する生徒もいたはずなのだ。

いて欲しい。

「七年前の大誘拐は、さしずめ、永久井先生からの最後の授業だったってこと——全校生徒っていうのはないにしても、永久井先生は、その共同作業で、可能な限りのことを、生徒達に教えたんだと思う」

それは絵の技術的なこともさることながら、芸術家としての姿勢だったり、ありかただったりしただろう。

種蒔きを重んじる札槻くんに言わせれば、それは単なる遊び心だったかもしれないけれど——ともあれ、永久井先生は子供達の心に種を蒔いた。

あれから七年。

当時中学一年生だった生徒も、二十歳の大人になる頃だ——彼ら彼女らは、いったい、どんな大人になったのだろう。

クビになることの意趣返しなんて、そんなせせこましい目的じゃあなかった——彼女が見据えていたのは、この未来だったのだ。

わたしは天才児くんを見る。

この子には、最初から、この真相がわかっていたんじゃないかと思って。

わたしのような視力や、札槻くんのコンタクトレンズがなくっても、専門の知識があれば、絵が上描きされたかどうかは、わかるんじゃないだろうか——逆に言えば、実行グループ以外にはそれがわからないほど、七年前の指輪学園には、絵心が欠けていたということになる。

「永久井先生が、七年前から失踪して行方不明になったのは、世をすねてとか、そういうことじゃなくって、罪をひとりでかぶるためだったんじゃないかな。一緒に作業をした生徒達に、間違っても累《るい》が及ばないように」

ちょっと問題教師のことをよく考え過ぎかもしれないけれど、しかし、そう考えるとしっくり来るのも事実だ。

あるいは学園側にだって、真相に肉薄した者もいたかもしれない。彼女に理解を示した大人が、皆無だったわけではないだろうから——でも、同調した者は口を噤《つぐ》んだだろうし、そうでなかったとしても、大勢の生徒が犯行に絡んでいるとなれば、隠蔽せざるを得まい。

そこまで計算ずくの犯行ではなかっただろうけれど——いや、そんなしたたかな計算も、案外、芸術家の資質と言うべきなのか。

「美しい」

短く。

そして静かに、双頭院くんが言った。

そんな言葉に、別にわたしが誉められたわけでもないのに、なぜかとっても照れくさくなってしまって、「ま、まあ、こんな推理、どこまであたってるか、わかんないんだけどね?」と、ごまかすように言った——すると。

「全部あたってるよ」

そう断言する声があった。

振り向けば。

講堂の入り口に、永久井こわ子が立っていた。

## 27 自供

「ははは。もちろん、単に学園側にむかついたからってのもあるんだけれどね——あいつらの吠え面《ほえづら》を絵に描いてやれなかったのが心残りだ」

冗談めかしてそんなことを言う彼女が、どうして永久井こわ子だと直感できたのかについては、論理的な説明がつけられない。昨年入学したばかりのわたしが彼女の顔を知っているわけはないし、写真を見たことがあるわけでもないのだから——だけど、その佇《たたず》まいから、そうに違いないと確信した。

もっとも、そうでなくとも、絵の具まみれのジャージや、頭に巻いているタオルを見れば、彼女が画家であることくらいは、推察できたかもしれない。

アトリエからそのまま、この講堂にやってきたと言うような、なんとも無頓着《むとんちゃく》な姿だ——そのせいで年齢感がわからないけれど、まあ、思っていたよりもいくらか若いイメージだ。

フェイスペインティングされているような有様では断言はできないけれど、生足くんが敏感に反応しているところを見ると、素材的には美人なのだろう。

「……永久井先生ですか?」

わたしと違って、彼女の所在を、天才児くんと共に調べていた咲口先輩は、顔を知っていたのだろうが——それでも、そう訊いた。

「いかにも」

おどけた風に頷く。

「あたしが永久井こわ子。元教師で、現役の画家で、そんでもって今時の誘拐犯だよ」

「…………」

悪びれずにそう言ってのける彼女の登場は、しかし、咲口先輩にとっても唐突な出来事のようだった。

てっきり、行方不明中の彼女の居場所を突き止めた生徒会長が、彼女をここに呼んだんじゃないかと思ったけれど、どうやらそうではないらしい——期せずして『答え合わせ』はできた形になるけれども、咲口先輩が呼んだんじゃなければ、どうして彼女はここに来たのだ？

犯人は犯行現場に戻る。

よく言われるけれど、さすがに七年越しに帰還するなんてことが、あるのだろうか？

それも、わたし達が探偵活動をしているところに、たまたま？

「うん。まあ、この学園には嫌われてるから、あたしも本当は来たくはなかったんだけどね——閉鎖されたはずのあたしの美術室を勝手に占拠している奴らがいるって聞いたから」

あんたらかい。

と、永久井先生はにやにやしながら言った。

なんと言うか、圧迫感を感じなくもない笑みだったけれども、それに対して、

「そう。僕達だ」

と、我らがリーダーは堂々と答えた。

「美少年探偵団だ」

「笑える」

そう言いながら、永久井先生は、こちらに近づいて来ながら、「で、もうひとつの謎については解けたのかな？」と、わたしを見た。

試すような目だ。

もうひとつの謎？

ああ、そうだ、忘れていた。

発端はむしろそちらのほうだった——美術室。

永久井先生が『あたしの美術室』と言ったその教室の屋根裏から発見された、三十三枚のカンバス。

登場人物が描かれていない模写。

その意味を探るところがスタートだったのだ。

「この巨大絵の上描きと違って、そっちはあたしの個人作業だよ。どういう動機だったと思うんだい？」

えらく持って回った訊きかたをしてくる。

なるほど、この人は嫌われると思った。

初対面の子供相手にこの対応では、社会通念上、教師としては失格の部類だろう——ただし、相手が子供だろうと初手から容赦をしないこの姿勢は、師匠としては正しいのかもしれなかった。

だけど、わたしはいい弟子にはなれない。

そっちの謎については完全に失念していたのだから——巨大絵の謎が解ければ、連鎖的にそちらの謎も解けるということは、少なくとも、なかった。

まったく別の謎なのだ。

ごちゃ混ぜになったパズルのピースが、半分に整理されたところで、未だ手つかずと言っていい。

しかし、永久井先生からは、『わかりません』という解答を許してくれそうにない厳しい雰囲気も感じ取れた——わたしが進退窮《きわ》まっていると、

「それについては、うちの芸術家が答えよう」

と。

リーダーが天才児くんの背中を叩いた。

「ソーサク。自分で言え」

その指示に、わたしのみならず、咲口先輩も、不良くんも、生足くんも、驚いたようだった——いつだって天才児くんの言葉を代弁してきた双頭院くんが、そんなことを言うな

んて、まったくの予想外だった。

当の天才児くんだって、思いもしなかっただろう——が、彼はここでも表情ひとつ変えず、しかし、決意したように、

「あれは、人間を描かなかったんじゃない」

と言った。

これまでのしきたりを大胆に破る、ひとつの事件内における、無口な彼の二度目の発言だった。

「神を描いたんだ」

## 28　屋根裏の真相

人間を描かなかったんじゃない、神を描いたんだ。

もしも昨夜の時点で、そう言われていたら、ただただわけがわからないばかりだっただろう——意味不明の極みで、混乱が加速するだけだったかもしれない。

だけれど、講堂の巨大絵における謎がとき明かされ、そして永久井先生本人を目の前にした今、そう言われたら、もう、それだけで十分だった。

もちろん、誰が見たってあの三十三枚のカンバスには、人間が描かれていない——べ

スとなる名画から人間を取り除いたのだと解釈するほかない。

けれど、それはこう言い換えることもできる。

作者は、人間以外の存在を描いたのだ——と。

人間以外。

それは風景であり、景色であり、自然であり、植物や動物であり、そして天使や神々といったモチーフだった。

三十三枚のモチーフとなった名画には共通点なんてなく、作者も時代背景もばらばらで、バリエーションに富んでいた——共通点なんてないように思われた。

だけど、共通点とも言えない当たり前の前提として、人間が描かれている絵ばかりが選ばれているということにさえ気付いてしまえば、作者の意図も見えてくる。

それらの三十三枚は、人間を描かないために、選出された三十三枚なのだと——逆に言えば、作者は、人間を描きたくなかったとか、人間を描くのが苦手だったとか、その可能性はより低くなる。

だったら最初から、人間が写り込んでいない絵を、ただ模写すればよかったのだから
——そうではなく、作者は。

永久井先生は、人間がモチーフに含まれる絵だけを選び——そしてその人間に、カンバスという密室からのご退出を願った。

その意味は。

取り除かれた人間のほうにあるのではなく——残された密室のほうにこそ、あるのだと考えるべきだったのだ。

「ん……それはつまり、人間が嫌いだったからってことじゃないの？」

生足くんがそう首を傾げたが、そうではない。

もちろん、そんな試作をする以上、相当な偏屈ではあるのだろうけれど、永久井先生は単純な人間嫌いじゃあない——そもそもは『講堂の中の講堂』で、全校生徒を描くという、想像するだけで大変な労力を、ひとりで払ったくらいなのだから。

そこで考えるべきは三十三枚のカンバスの、ないと思われた共通点だ——いや、共通点は、やはりない。

強いて言うなら、永久井先生の好みである。

だけど、好みだけで語れないのは、双頭院くんが指摘した通りだ——三十三枚選ぼうというときに、レオナルド・ダ・ヴィンチの『モナリザ』が選ばれないなんてことは、ありえない。ムンクの『叫び』だってそうかもしれない。

他にもまだまだあるかもしれない——どうしてあれが選ばれないのという絵は、いくらでも思いつく。

じゃあ、そちらの共通点はなんだ？

選ばれなかった絵の共通点は？

風景画、裸婦画、歴史画、風俗画、戦争画、日本画、水墨画、抽象画……、作者も時代背景も、あるいは印象派だとかキュビズムだとか、油絵だとか水彩だとか版画だとか、そんな種類さえもばらばらに取りそろえられた三十三枚に、人間の姿が描かれているにもかかわらず、選ばれなかった歴史的絵画の共通点とは。

明らかだ。

三十三枚のカンバスを想起して見てみれば、明らかだ——どんな有名で、誰もが知るような名画であろうとも、永久井先生は、作者自身の手による自画像を選んでいない。

肖像画は選ばれていても、自画像は選ばれていない——もう少し言えば、彼女は、画家の絵を描いていないのだ。

ジャンルにも時代にも洋の東西にもとらわれず、バリエーションに富んだあらゆる種類の絵画から人間の姿を取り除くにあたって、彼女は、画家という人種を、例外にしているのだ——例外にしているというより、特例にしている。

まるで。

偉大なる芸術家は、神に匹敵するというように。

……そうなれば、『モナリザ』が含まれていない理由も推測がつく。わたしでも知っている、たぶん正しくはない俗説だが、『モナリザ』は、レオナルド・ダ・ヴィンチ自身が描いた自画像だとも言われている——どれほど信憑性に欠ける俗説であろうと、万が一にも、かの万能天才をカンバスから排除してしまうリスクを考えれば、描くことはできなかったのだろう。

ムンクの『叫び』は、もっとわかりやすい。

自画像とは言えないにしても、あの絵は、大自然の叫びに怯《おび》える作者自身を描いたものなのだから——つまり、中央の人物はムンクなのだ。

ならば、それらの絵画をベースにしたら、そのまま描くしかなくなって、込められたテーマが意味をなさなくなる。

込められたテーマ。

つまり——信仰だ。

画家本人を神格化して描くのではなく、画家以外の人間を描かないことで、その信仰を表現した——画家も、画家以外も、結局のところ等しく描いていない辺り、羊腸のごとくひねくれてはいるけれど、しかし、そんな公平性も、ひとつの、作者からの愛情表現なのだ。だから、ダ・ヴィンチやムンクから選ぶなら、必然的に『モナリザ』や『ムンク』以外の作品になる。

天才児くんが言っていた、『最低でもあと三十三枚』カンバスがあるというのは、つまり、三十三枚のカンバスの作者の、自画像を想定してのものなのだろう。偉大なる画家達の、自画像をベースとした絵画——もちろん、それらの絵から、画家達の姿は取り除かれてはいないに違いない。

だけどそれらの絵は、実在はしないのだ。

『描けないものを描かない』ではなく、『描きたいものを描かない』技法。

屋根裏ではなく、永久井先生の心の中にしか存在しないカンバスにのみ、信仰する彼らの姿が描かれている——

「ああ、もういい、もういい。もういいってば」

それまで、不法侵入者とは思えないほどふてぶてしい態度を取っていた永久井先生が、一転、照れくさそうに手を振った。

「まさか当てられるとは思わなかった。的外れな答を聞いて笑ってやろうと思ってたのに。ちぇ、こんな恥ずかしい思いをするくらいなら、来るんじゃなかった」

言いながらも、しかし、絵の具とは無関係に赤く染まった永久井先生の顔は、どこか嬉しそうでもあった。

「あんた、名前は?」

訊かれた天才児くんは、もう無口モードに戻っていたので、そこからは双頭院くんが、

「指輪創作。美術のソーサクと呼ばれている」

代理で名乗り、しかも、

「あなたをこの学園から追い出した指輪財団の後継者だよ」

とまで説明した。

いや、そこまでの詳細はいらなくない？

けれど彼女に対してそれを隠しておくことは、フェアじゃないと思ったのかもしれない
――美学に反すると思ったのかもしれない。

永久井先生はそれを受けて、「ははあ」と、頷き、

「七年前、あんたみたいな奴がいてくれたら、あたしもクビにならずに済んでたのかね」

とだけ言った。

さっぱりしたものだ。

本音でもあるのだろうが、しかし、七年前の教師時代は、彼女にとっては、もう過去の出来事でしかないということでもあるのだろう。

「……ひとつ、わからねーんだけど」

そこで不良くんが言った。

突如、お前のわからねーことはひとつじゃないだろうと指摘したい衝動に駆られたが、ぐっと堪《こら》えた――わたしは最低の人間じゃない。

「あんたがどういうつもりであれらの絵を描いたのかってのは、説明がついたとしても、七年前、クビになるときに、それを美術室の屋根裏に隠していったのには、どういう意味

があったんだ？」

そうだった。その謎は解けていない。

彼女の内心の現れともいうべきカンバスを、どうして美術室に置いていったのか？　まさか、単に忘れていったとか？

いや。

札槻くんのコンタクトレンズがただの忘れ物でなかったように、あの三十三枚のカンバスも、ただの忘れ物であるはずもない。

「別に……、深い意味はなかったのよ」

と、永久井先生は頭に巻いたタオルで、手を拭くような仕草《しぐさ》をした——それもまた、照れをごまかしているのかもしれない。

「屋根裏にでも隠していたら、いつか、あの美術室がまた使われるようになったとき、どっかの変わりもんが、あたしの描いた絵を見つけるんじゃないのかって想像したのよ——そんときに、『なんだこれ？』って思って欲しかった」

そんなことは起こらない、と考えていただろう。

美術室がまた使われることなんてないだろうし、使われたとしても、わざわざ天井裏なんて調べたりしないだろうし、万が一それ以外の事情で、あれらの絵画が発見されたところで、特に何とも思われずに、そのまま処分されて終わるに違いないと、永久井先生は考えていただろう。

どんな芸術家だろうと、想定外だ。

七年後にわけのわからない連中が美術室を占拠して、天井絵を描こうとした末にカンバスを引っ張り出してきた挙句、

『なんだこれ？』

と、思惑通りにその謎かけにハマってくれるなんて。

「あんたが見つけたの？　指輪創作くん」

「見つけたのは瞳島眉美くんだよ。美観のマユミだ」

双頭院くんがわたしのことも紹介してくれた。

「へえ……、『講堂の中の講堂』の謎かけを解いたのもその子だったわね。なるほど、天才児ってわけだ」

いや、天才児はわたしじゃないんです。それは指輪創作くんのほうです。

謎かけを解いたのもだいたい借り物の知恵です。

「美食のミチルこと袋井満。美脚のヒョータこと足利飆太。美声のナガヒロこと咲口長広だ」

永久井先生に一人ずつ、メンバーを紹介する双頭院くん――しかし本当に嬉しそうに仲間を紹介するリーダーだ。

「で、そういうあんたは誰なのよ？」

「双頭院学。美学のマナブだ。美少年探偵団の団長を務めている。僕は七年前に、あなたのような先生がいてくれて、とてもよかったと思っているよ」

そして今日、あなたに会えてよかった、と。

双頭院くんはそう言った——てっきりそれは、遭遇したいくつもの謎の答え合わせが、迅速にできてよかったという意味だと思ったけれど、さにあらず。

彼は、

「なぜなら僕からあなたに、お願いがあるからだ」

と続けたのだった。

「永久井先生。あなたの美術室だが、謎解きのご褒美《ほうび》に、僕達に譲ってはもらえないかね？　美少年探偵団は、あなたの美しい意志を継ぎたいのだよ」

## 29　エピローグ

こうして、校内の空き教室を不法に占拠していたならず者達は、謎解きという手続きを経て、前所有者からそのファシリティを引き継ぐ仕儀となり、めでたく美少年探偵団は、正式に指輪学園の美術室を事務所としたのである——そうまとめて、この物語は幕を閉じるべきなのだろうけれど、しかし、申し訳ないことに、あとひとつふたつ、蛇足《だそく》として付け加えておかなければならないことが残っている。

描かないことで画家への敬意を表明した永久井先生の手法とは真逆ではあるけれど、まあ、蛇に余計な足を付け足したくなるのも、また絵描きの業《ごう》と言うべきだし、蛇に足が生《は》えることは、普通は進化と呼ばれる出来事だとの強引な理屈に、あと八ページだけお付き合いいただきたい。

まずは、解決しておくべき、最後の謎について。

屋根裏から発見された三十三枚の絵画や、講堂にかけられた巨大絵の謎については、真実とはたぶん多少はずれているにしても、美しい解釈がなされたわけだが、しかし、その答え合わせをしてくれた、すべての絵画の作者である永久井先生は、どうしてあんな見計らったかのようなタイミングで、講堂に姿を現したのか。

七年間行方不明だった伝説の先生が、どうしてあのタイミングで、学園に帰ってきたのか。

この謎を放置したままでは、とても筆を置けない——まさか出番待ちをしていたというわけでもないだろう。

本人は、『あたしの美術室を勝手に占拠している奴らがいるって聞いたから』とうそぶいていたけれど、じゃあ、彼女はそれを誰から聞いたというのだろう?

咲口先輩と天才児くんは、一晩がかりで、彼女の居場所をほぼほぼ突き止めてはいたらしいのだけれど、まだアプローチできてはいなかった。予定では、謎解きを終えた放課後あたりに、ヘリで向かう予定だったとか――それを思うと、ご本人が登場してくれて、本当によかったと思うが。

しかし、ならば告げ口をしたのは誰だ。

わからない。

わからないけれど、ただ、ひとつの事実として、美少年探偵団が現在、永久井こわ子という元教師の現役芸術家を探していることを、知っていた人間はいる――バスの停留所で、わたしが話したのだから。

これみよがしにコンタクトレンズを忘れていった彼について言えることは、彼は人と会うことが仕事であり、いろんな人を知っていて、そして彼は、荷物だろうと人物だろうと、どこへでも『運んで』くれる犯罪組織、『トゥエンティーズ』との繋がりも深いということだ。

ならば、生きてさえいれば、伝手《つて》を――独自のネットワークを辿って行方不明者を見つけ出し、そしてどこかの学校の講堂へ送迎することくらい、お手の物だろう。

まあ……、彼にそんなことをする理由があるとは思えないし、仮にあったとしても、年下の天敵にお株を奪われたとしたら、人間の小さいロリコンがどんな気持ちになるのか想像に難くないので、やはりこの謎は、迷宮入りさせておくのが正しいのかもしれない。

美しいのかもしれない。

ちなみに、咲口先輩の無駄働きの末に突き止めた永久井先生の現住所は、とある無人島らしい——地図にも載ってないような小さな島で、自給自足をしながら暮らす彼女は今も、芸術活動に勤《いそ》しんでいるそうだ。

そりゃあ見つからないわけだ。

今回、幸いにも行き損《そこ》ねてしまった、近隣からは現代のパノラマ島と呼ばれているらしいその島に、永久井先生は「いつでも遊びにきなよ」と誘ってくれたけれど、あはは、どうだろう、この先にそんな機会があるとは思えないな。

そしてもうひとつのオマケ。

数日後、天才児くんの天井絵が完成した。

美術室の天井を全面使用した、永久井先生が描いた巨大絵に匹敵するサイズの作品だったけれど、美少年探偵団が総力をあげて手伝った結果、予定よりもだいぶん巻いてできあがったとのことだった。

いや、天才児くんが、永久井こわ子という芸術家と接することで、触発されたというのも、あるのかもしれない。

七年前、指輪くんのような感性を持った人間が学校側にいてくれたら——と永久井先生は言ったけれど、彼とて、こんな風に芸術活動に邁進《まいしん》できる時期は、そう長くはないだろう。

後継者であり、既に組織運営にかかわっている彼は、いずれは本腰を入れ、指輪財団を背負わねばならない——芸術を捨てなければならないときが必ず来る。

だから天才児くんは、今回の事件に、珍しく積極的に取り組んで、あろうことか二度にわたって発言したのだろうし。

だから天才児くんは、美少年探偵団のメンバーなのだろう——大人ではない少年であることを、彼が誰より、望んでいるのかもしれない。

コンタクトレンズを外すときも、怖かったので結局天才児くんに頼ったのだが、そのとき、わたしは彼に質問した。

「天才児くんはあの天井絵を、どういうモチベーションで描いているの？」

当然ながら答は無言だった。

いいさ、もう慣れた。

その後、絵具を渡すアシスタントとして手伝っている最中も、スケールが大き過ぎるために、なぜ描いているのかどころか、何を描いているのかさえ、その天井絵は、わからないままだった。

それも、訊いても誰も教えてくれないし、

「おやおや、本当にあの名推理をしてみせた瞳島さんと同一人物なのですか？」

などと、咲口先輩に揶揄《やゆ》されては、追及する気もなくす。

あれがわたしの実力じゃないことは、あなたは誰より知ってるだろう。

リーダーの聴許《ちょうきょ》はあったとは言え、わたしが天敵の手を借りたことが、やはりお気に召さないらしい——まあいいや、ロリコンに嫌われても何の害もないし。

もっとも、さすがに、完成に近づくに連れ、壮大なる天井絵の全貌《ぜんぼう》は、徐々に明らかになってきた。

真っ黒に塗《ぬ》り潰《つぶ》された美術室の天井をカンバスとして、その上（下？）に広げられたのは、八十八のモチーフだった。

大きな熊《くま》やライオンが目立ったので、最初はサファリでも描いたのかと思ったけれど、そうではなかった——下半身が魚になっている山羊《やぎ》もいれば、カメレオンもいる。

髪の毛の絵も、水瓶《みずがめ》の絵もある。

蠍《さそり》もいれば、大蛇もいる。

乙女もいれば、神様もいる。

彼が表現した世界は八十八の——星座だった。

プラネタリウムでも表現できないような、一面の宇宙だった。

完成したその風景を。

わたしは馬鹿みたいにぽかんと見上げる。

そんなわたしを、

「はっはっは！　お気に召したようでなによりだよ、瞳島眉美くん！　それでこそ、きみのためにこの絵を描いた、ソーサクも報われるというものだ！」

と、双頭院くんが嬉しそうに笑う――わたしのため？

聞き違いかと思って天才児くんを探すと、創作活動を終えた彼はもうソファで、生足くんや咲口先輩と一緒に、不良くんが入れた紅茶を嗜んでいる。

「天井に、こんな大層な絵が描かれてりゃ」

代弁ではないのだろうけれど、不良くんが、わたしの分の紅茶をテーブルに置きながら、ぶっきらぼうな口調で言った。

「根暗なお前でも少しは、上を見ようって気になるだろ」

「…………」

そう言われて、わたしはもう一度、天井を見上げる――そうだ。

十年間追い続けた幻の暗黒星を見失って以来、わたしは夜空を見ることを止めてしまった――上を見る気をなくしてしまった。

だからわたしは美少年探偵団に入団したのだ。

いつかまた、空を見上げられるように。

「わたしのために……、ここまでしてくれたの？」

信じられなくて、誰にともなく訊いたわたしに、生足くんがソファでひっくりかえったまま、「何言ってんの。一緒にしたんじゃん」と言った――どうやら、共同作業を通じて、お怒りは完全に解けたらしい。

そうだった。

永久井先生が大誘拐を実行したとき、生徒達を共犯者としたように――わたしも、美術室に星空を展開させるのに、立派に一役買ったのだ。

「前所有者の永久井先生の許可も得られましたからね。心おきなく存分に仕上げることができて、何よりですよ」

咲口先輩も、いい声でそう頷く。

まあ、正確に言えば、前に使っていたってだけで、この美術室はあくまで学校の施設だから、永久井先生の持ち物ってわけじゃあないんだけれど――ただ、咲口先輩が永久井先生を探すために尽力していたのは、そのためでもあったのだと思うと、そんなつもりはなかったとは言え、彼の天敵と内通するような真似をしてしまって、それにロリコンロリコン連呼してしまって申し訳なかったと、心から反省した。今度わたしが初等部のときに着ていた制服をあげよう、わたしのでよければ。

「はっはっは！　瞳島眉美《め》くん、なので、いずれ本物を見上げるときまで、この美術室で存分に、美しい星空を愛でるがよかろう！　僕もありがたくご相伴《しょうばん》に与《あずか》らせてもらうよ！

さあ、紅茶を飲み終わったら、みんなでパーティの準備だぞ！　僕らの大作の完成を高らかに祝おうではないか！」

リーダーがそんな風にわたしの背を押して、ソファへといざなう——絵にも描けない美しさ、なんて言うけれど。

わたしが初めて、同じ景色を共有できる彼らの、本当の仲間になれた気がした今のこのときを、誰かに描いて欲しかった。

（始）

# あとがき

今となってはとても信じられないような話ですが、名作『屋根裏の散歩者』は発表された当時、意外と評価がそんなに高くなかった、と言うか、結構な批判を浴びていたという話があります。なんだか、エピソードとして出来過ぎているので、本当かよという疑心暗鬼が生じるくらいですけれど、でもまあ、どの世界でも、聞くと言えば聞く話でもあります。フィンセント・ファン・ゴッホの絵画は生前ほとんど売れなかったとか、『シャーロック・ホームズ』シリーズは作者的にはそこまで熱くなかったとか、デビュー作は今読むと恥ずかしいんですよとか、あのメロディは即興で作曲しましたとか、まあまあ、そんな感じです。作者の意図や、読者の評価は、必ずしも一定ではないし、一致もしないとか？　時代性だったり、偶然性だったりに左右されて、確定した絶対的な評価というのは、芸術においては成立しにくいという話なんでしょうし、それで言うと、埋もれてしまった名作が、どれくらいあるかと思うと、途方もない気持ちになります。折悪しく、世間からまったく評価されなかった作品や、素晴らしいアイディアがぱっと閃いたはずなのに、作者自身が『いや、これはいまいちだな』と、世に出すことなく頭の中で却下してしまった作品。まあ、実際はそういう作品のほうが多いんでしょうね。そう考えると、百年二百年、千年二千年残っている作品群の素晴らしさが、より一層際立つというような気もします。

そんなわけで美少年探偵団の事件簿、第三弾です。だいぶん瞳島眉美さんが、探偵団になじんできた風でしょうか？　今回はメンバーの中でも、『美術のソーサク』こと、指輪創作くんがクローズアップされています。無口な天才芸術家。その上、経営者としての資質も持つギフテッド……、ただ、本人としては、『どっちか片方でよかった』と思っているのかもしれません。天は二物を与えずと言いますけれど、二物があると、それはそれで、道に迷いやすく、どっちつかずになったりもして、ややこしいです。そんな感じで、美少年シリーズ第三弾、『屋根裏の美少年』でした。

表紙はキナコさんに、ソーサクとヒョータを描いていただけました。ありがとうございました。次巻『押絵と旅する美少年』も、なにとぞよろしくお願いします。

西尾維新

本書は書き下ろしです。

〈著者紹介〉

西尾維新（にしお・いしん）
1981年生まれ。2002年に『クビキリサイクル』で第23回メフィスト賞を受賞し、デビュー。同作に始まる「戯言シリーズ」、初のアニメ化作品となった『化物語』に始まる〈物語〉シリーズ、『掟上今日子の備忘録』に始まる「忘却探偵シリーズ」など、著書多数。

# 屋根裏《やねうら》の美少年《びしょうねん》


2016年3月16日　第1刷発行　　定価はカバーに表示してあります

著者……………………………西尾維新《にしおいしん》



発行者…………………………鈴木　哲
発行所…………………………株式会社 講談社
〒112-8001 東京都文京区音羽2-12-21
編集03-5395-3506
販売03-5395-5817
業務03-5395-3615

本文データ制作……………講談社デジタル製作部
印刷……………………………凸版印刷株式会社
製本……………………………株式会社若林製本工場
カバー印刷…………………慶昌堂印刷株式会社
装丁フォーマット…………ムシカゴグラフィクス
本文フォーマット…………next door design



ISBN978-4-06-294023-8　N.D.C.913　208p　15cm

予告

2016年秋
刊行予定

シリーズ第5作

# パノラマ島美談

# 探偵は、君を助けるためにいる。

NISIOISIN
西尾維新

Illustration
キナコ

講談社
タイガ

零崎《ぜろざき》を始めよう！
始めよう。悪を、愛を、青春を！
「人間シリーズ」第一弾！
各巻巻末おまけとして
西尾維新書き下ろし
用語集を収録！
『零《ぜろ》崎《ざき》双《そう》識《しき》の人間試験』
原作 西《にし》尾《お》維《い》新《しん》 漫画 シオミヤイルカ
キャラクター原案：竹《たけ》
全5巻絶賛発売中!!
アフタヌーンKC 定価：本体571～581円（税別） 発行：講談社

それでは漫画で
「月刊アフタヌーン」で大好評連載中!!
『零崎《ぜろざき》軋識《きしし》の人間ノック』
原作 西尾維新《にしおいしん》 漫画 チョモラン
キャラクター原案：竹《たけ》
新鋭描く
悪意と殺意の凶宴、開始！
「人間シリーズ」第二弾！
巻末企画
西尾維新書き下ろし
名場面解説も収録！
コミックス
最新3巻 2016年3月23日㊌発売!!
アフタヌーンKC 定価：本体600円（税別） 発行：講談社
月刊アフタヌーンは毎月25日発売!! 定価：本体648円（税別）

西尾維新文庫

# 少女《しょうじょ》

西《にし》尾《お》維《い》新《しん》

少女はあくまで、
ひとりの少女に過ぎなかった……、
妖怪じみているとか、
怪物じみているとか、
そんな風には思えなかった。

presented by
N I S I O I S I N

illustration by
碧風羽

講談社文庫
published by
KODANSHA
定価◉本体660円［税別］

〈物語〉シリーズオフシーズン

# 撫物語《ナデモノガタリ》

西尾維新

NISIOISIN

Illustration VOFAN

KODANSHA BOX

FIRST SEASON
[化物語(上·下)]
[傷物語]
[偽物語(上·下)]
[猫物語(黒)]

一線を走る彼らに、
前置きは不要だ。

西尾維新 NISIOISIN 対談集

# 本題